學術的老人與海

張五常著

給

中國的青年

前言

本書是《壹週刊》專欄《南窗集》的第一組文章的結集，因為不想再起新欄名，就學《賣桔者言》那樣，選其中一篇文章的題目作為書名。

我認為以《學術上的老人與海》作為書名很恰當，因為內裡的文章大都是與學術有關的，而自己日漸黃昏，對學術的看法是比較成熟了。

從《壹週》老總楊小弟懷康所搞的讀者投票得知，在我寫的文章中，最受歡迎的是有關學術的那一類。看來我要在這方面多寫一點了。

張五常　二〇〇〇年五月

目錄

北望神州

舊事新談

從史密斯到馬克思

書法神功

千年事

南窗集序

一九九九年六月二十五日

因為深泉（舒巷城）的病，我封筆久矣。深泉謝世，我更提不起勁動筆。俞伯牙與鍾子期的故事，在今天的社會雖然少之又少，但對我這一輩在西灣河長大的人總有一點感染。

不久前我在這裡發表了《悼深泉》一文，深泉的弟弟照泉讀後以毛筆寫給我一首七絕：

「拜讀鴻文字字傷，
堪悲兄弟隔陰陽；
太寧往事從頭說，
感謝良朋高佬常。」

文采如斯，感情若此，難道今天的世界還有金錢以外的事？

我在香港大學莫名其妙地當了十七年多的什麼頭頭，早越退休之年，荒廢了數之不盡的自己喜歡做而又肯定可以做得更好的事。要歸去來兮，為時已晚！去年夏天，一位認識了三十年的美國學者朋友給我電話，說我三十年前發表的學術文章，今天被引用的次數有增無減，是個奇蹟，促我放棄一切而重施故技云云。

這位鬼佬朋友把我看得太高了。科學上的分析，在瑣碎的細節上要筆筆見血才是

上品。我自己心知肚明，昔日在細節上手起刀落的本領，近幾年已去如黃鶴。去年我發表了一篇佛利民認為是重要的文章，但那是綜合自己三十多年的研究心得，不是創新的研究。

話雖如此，那位鬼佬朋友的話，使我有所感慨。我想，捲土重來再大殺三方，無能為力矣。但有不少自己寫下的中、英文章，是應該整理一下的。另一方面，一些教育性的文字，如課本之類的，我可能寶刀未老。

就在這些患得患失的日子中，黎老弟智英再三地邀請我「復出」。我本來打算推卻，但以往的經驗，是寫散文對文字的思維大有幫助。這好比一個體育比賽的人，多一點其他運動是有幫助的。

無論怎樣說，少了深泉，今非昔比。這可不是因為少了深泉替我修改文字就會有困難。我是個無拘無束的人，文字差一點不怎麼樣，更何況自己的風格要改也改不了。問題是少了深泉，我就失去了寫散文的唯一對象。我的散文是寫給深泉看的，有意或無意地要向他「表演」一下。

深泉在生時，好幾次對我說：「你文內這幾句話，沒有誰會這樣說，也沒有誰敢這樣說。但這是你獨有的風格，那我就不便修改。」有時他又說：「你的文字往往使我心驚膽戰。其他人這樣寫會闖禍，但你吉人天相，那我就讓你冒險下去吧。」依稀

記得，董橋老弟對我的文字也說過類似的話。

我的文字功力當然比不上舒巷城或董橋，但撫心自問，何險之有？難道我賺肥佬黎的稿酬是以險取勝的？以險鬥險，我又怎可以鬥得過肥佬？肥佬行文之險，險絕天下！

有一位學者朋友寫出來的英語論著，我看來看去也看不懂。一天我忍不住問他：你的文章是寫給誰看的？他可能認為我很蠢，因為我重複幾次他也不明白我為什麼這樣問。是的，我認為下筆時有一個對象，是為文的一個重要出發點。

好些時，作者會以一個階層為對象。較為容易處理的，是單對單地對一個人下筆，但求這個人明白、欣賞，其他的人就不管了。寫學術上的論文，我有時以艾智仁為對象，有時是高斯，有時是赫舒拉發，有時是佛利民。

《賣桔者言》下筆時的對象，有關政治的是林山木，其他的是一個假設的學生。後來寫《再論中國》，我的假設對象是趙紫陽，所以文章寫得比較慎重，但求過癮的話少說了。

寫散文，少了深泉總是不妥。日漸黃昏，斯人無覓矣！人的生命本來就是這樣：少了一個知己，自己還要活下去。下筆為文可以興高采烈，也可以茫然若失。答應了智英重施故技，我逼着要起一個新的欄名，但少了深泉，我去找誰商量一下？

此前在這裡——《壹週刊》——用過四個欄名。《凴闌集》是深泉起的，我很喜愛。《隨意集》是我起的，毫無靈氣，但深泉同意。《挑燈集》是深泉起的，很精彩。《捲簾集》是我發明的，可與深泉打個平手。

這次又要起欄名，思往事，百感交集。我想，自己餘下來的日子，應該做一些為米折腰以外的事。我首先想到王維的「晚年惟好靜，萬事不關心」。那不對——我這個人不可以沒有生命意識。我於是想到陶淵明。

打過八十三日工就退休的陶淵明，令人羨慕。生當今日，要有陶淵明式的生活可真不容易。要做個五柳先生嗎？你可以「性嗜酒，家貧，不能常得」。但今天，如果你真的是「家貧」，就不會有「親舊知其如此，或置酒招之，造飲輒盡」。

退休時你要到桃花源去度假兩個星期嗎？很不幸，人浮於事，勞碌了一生，就算你是個高尚士如舒巷城，也不可能仿效那個南陽劉子驥。

然而，想來想去，我還是想淵明，到最後，就決定用《南窗集》。這是因為我總可以學陶前輩那樣，回顧平生，「倚南窗以寄傲」！

學術閒話

學術上的老人與海

一九九九年七月二日

學術文章有大小之分。大的不一定長，小的不一定短。大的重於泰山，不可或缺；小的輕於鴻毛，有等於無。大的鳳毛麟角，小的多如海上沙。其他的學術我不大了了，但就我所知的經濟學來說，如果百分之九十九以上的文章從來沒有出現過，人類的知識什麼損失也沒有。

大文不一定是在大名鼎鼎的學報刊物發表的。德高望重的學報，投稿者較多，取錄遠為嚴謹，所以能獲大文的機會較大，但也大不了多少。

半個多世紀前，芝加哥大學的名教授Jacob Viner的《成本曲線》一文，遍投美國名學報不獲取錄，不得已用德語在歐洲發表。後來該文英譯重印，知名天下。蘇聯一位不見經傳、無師自通的經濟學者，死後一篇文章被譯成英語發表，石破天驚——我作學生時拜讀該文，五體投地。史德拉對該文的評價：其美與力，無與倫比！

被經濟學行內認為是本世紀最重要的文章——高斯一九六〇年發表的——其學報只發行了五百本。後來因為高斯的大文而重印三次，使該學報成了名。

我是為過癮而搞學術的。與自己的釣魚興趣一樣，博大不取小。有等於無的學術文章，不寫算了。所以從研究生開始寫論文時，我就不自量力地去博大文。博了三十

多年，半條像《老人與海》的巨魚也釣不到，雖然有幾斤重的石斑總算釣過六、七尾。失望之餘，逼着要學其他釣魚佬一樣，誇誇其談一番。

學術真理的追尋，與大海釣魚如出一轍。先要找自己認為有魚可釣的地點，這個島看一遍，那塊大石考察一下。看中了地點，下釣時腦中充滿幻想。釣無所獲，心有不甘，就轉魚餌，換釣法，再不行，就另找地點。日暮黃昏，空手而回，總不免要自我安慰一番。

最失望的經驗，是明知有大魚在海底，甚至肉眼看得分明，只是釣來釣去也釣不到。好幾次，巨大的三文魚在自己的船旁跳出水面，數以百計的跳，跳個不停，就是釣不到。

七十年代初期，我要研究發明專利及商業秘密的產權及租用合約，擺明是大魚釣之不盡之地帶也。我花了三個月寫好了研究計劃，申請美國國家科學基金會的資助。所有的評審員都大聲拍掌，說是大魚雲集之地，而史提芬·張是釣這種魚的最適當人選，應該唾手可得云云。

殊不知獲巨額資助後，我與三位助手下了五年工夫，審查資料無數，所獲卻近於零。這是我平生最尷尬的經驗，好比一個體育健將，在大街上跌個四腳朝天！

這項研究的慘敗，倒有個值得一提的註腳。該研究做了兩年後，我寫了一個長達

六十頁的中期報告給資助的基金會，內容是說大魚不易釣，但此前的研究者的理論與我手頭上的資料大有出入，比較可取的理論，應該是如此這般云云。

這個中期報告只印製了幾十份，因為不打算發表，自己沒有收存。後來該報告被譽為引用次數最多的沒有發表過的文章。最近要整理一下自己的英語論著，打算結集成書，該報告卻遍尋不獲。找一些引用過該報告的學者，其回應要不是沒有存下來，就說是聽回來的。

踏破鐵鞋無覓處，得來全不費工夫的可觀的魚，機會不大，但我遇過兩次。最明顯的一次，是在西雅圖華大與一位老同事進午餐時，他不經意地說他的一位女婿，養蜂為業，把蜜蜂租給蘋果園使用。我一聽，嘩，那豈不是大魚一尾？

我取得他女婿的電話，午餐沒有吃完就釣魚去也。三個月後，我搜獲的蜂租與花蜜市價的資料，天衣無縫，二十多頁的文章一揮而就，過癮之極。幾家名學報爭着刊登，但我還是給了名氣較小的、由高斯主理的《法律經濟學報》。該文題為《蜜蜂的神話》，雖然深度平平，但因為新奇過癮而立竿見影。

學術文章要大不要小，越大越好。這個選擇傾向比釣魚更重要，因為小魚可以煲湯，而小文卻是廢物，我大約有六、七篇四分之一個世紀前發表的文章，今天還有每年被引用五次以上的成績，算是有點斤兩，但不是海明威筆下的巨魚。去年發表的一

篇，二十五年後應該有類似或更佳的表現。若如是，我就會破了史德拉數十年前所作的一項統計：經濟學者五十五歲後就沒有什麼拿得出來的。去年我六十二歲。

一九七四年我發表了一篇自己最滿意的文章，其後二十年該文如石沉大海。但前年竟被引用五次。難道再加二十五年，該文會變作《老人與海》中的巨魚？

文章真的像魚一樣，發表後有它自己的生命，假以時日，可以成長而變大，但絕大部分出生不久就夭折。大文被論為大，是要等很多年才知道的。

以經濟學而言，我認為一篇發表了五十年的文章，若還有每年被引用二十次的影響力，那就真是一尾巨魚了。據我所知，本世紀內只有高斯在一九三七年發表的那一篇達到這個水平。自己的應該沒有機會見到，但我那篇一九八三年任職港大時發表的《公司的合約本質》，今天看其成長，觀其走勢，似乎可與高斯打個平手。

學術上夢寐以求的巨魚，追尋了三十多年，當初是幻想，今天仍在幻想。生命本來就是這樣的吧。海明威的《老人與海》可不是胡亂寫出來的。

何謂學者？

一九九九年八月十三日

幾個月前，一位在香港工作的年青經濟學者到我在港大的辦公室來，暢談甚歡。在閒談中他提及美國名經濟學者巴賽爾（Yoram Barzel）曾經在一本書的序言中，說他今天認為，一九六九年的史提芬·張是舉世最傑出的產權及交易費用的經濟學者。我對該青年說：「你看錯了吧。巴賽爾可能說我是眾多高手中的一個。」他回應道：「不是的，他說在產權及交易費用的題材上你是世界之冠。」

我當時一笑置之，因為我認為巴賽爾不可能這樣說。一九六九年起我與巴氏同事了十三年。他是我在美國最深交的朋友——我怎會不比那位年青學者知得清楚。巴賽爾所出的書，我不可能不在第一時間收到一本；我從來沒有聽過他說在學術上有「世界之冠」這回事；一九六九年時，產權及交易費用學說的發展如日中天，高斯、艾智仁等亦師亦友的前輩，當時還在盛年。

殊不知過了幾天，該年青學者傳真來巴賽爾在書中把我排名第一的那一頁，使我高興萬分。沒有誰不喜歡被他人稱讚的，而更重要的是讚者是誰。巴賽爾有斤兩當然重要，但使我驚喜的是大家認識了三十年，此公從來沒有在我面前讚過我。我立刻把該頁「頌文」傳真給楊老弟懷康，向他炫耀一下。楊老弟讀後哈哈大笑，說希望能讀

到巴賽爾書中的整個序言。

最近到西雅圖度假，有機會與巴賽爾細說當年。想到他曾經在書中說我在產權及交易費用這些題材上是「世界之冠」，我對他說：「不久前我發現一個大秘密，你曾經在一本書的序言中把我捧到天上去，但為什麼不把該書寄給我？」他聽後想了好一陣，然後像阿康那樣哈哈大笑，笑得很開心。兩天後，我在西雅圖的家中收到他寄來的那本書。

書的序言十三頁，作者回顧平生，算是一個小型的自傳了。文內有好些地方提及我，但主題是訴說作者自己的學術生涯。其中提及的人與事，我大都認識，或起碼聽過，所以讀來津津有味。一口氣讀完該序言後，我不禁擲書興歎：比起巴賽爾，我自己實在算不上是一個學者。

是的，像巴賽爾那樣單為學術而生存的人，我平生只遇到兩個：一個是巴賽爾，另一個是戴維德（A. Director）。也難怪巴與戴是那樣互相欣賞的朋友。

香港要搞好學術，真的要向巴賽爾這種人學習一下。一九三二年出生，在以色列進大學，芝加哥入研究院，六一年起在西雅圖華盛頓大學任教，以迄於今——這樣的生命看來很平淡，沒有什麼值得下筆誌之的。然而，當我發覺在五十年的學術生涯中，巴賽爾沒有一天不在學術思想上打轉，從來不對學術之外的事費心，我就不由得

肅然起敬。

書中所載，是巴賽爾從一九六三到一九九二這三十個年頭所發表的三十一篇論著，而序言所述，是每一篇的思想出處，與朋友之間的研討及受到的影響，及下筆時所遇到的經驗。正所謂一波未平，一波又起，我看不到在那漫長的日子中，巴賽爾曾經有一天不在思想的波濤上浮沉。

巴賽爾是為解釋世界現象而從事學術研究的。政府的經濟政策是好還是壞，他漠不關心。他的興趣是「為什麼？」而不是「怎麼辦？」

在物質生活上，巴賽爾從來都不打學術之外的主意。要做些小生意或作顧問賺點外快，為自己的退休有點積蓄，他想也懶得去想。集中於學術，五十年如一日，天下間似乎沒有幾個人可以做到。

以經濟學的天分來品評，從零到十分來排列，我認為巴賽爾有八分。這是一級天分打了個小折扣。從學術論著的質量來品評，我也是給他八分。這是說，在學術上，巴賽爾真的可說是盡己所能。他能獲諾貝爾經濟學獎的機會似乎不大，但若獲該獎可不能說是大冷門勝出。不久前他被選為兩年後的美國西方經濟學會的主席，是實至名歸。

近幾年來，香港的大學高舉要搞什麼研究呀研究的，真是有點糊塗了。衡量研究

所用的準則，竟然是數文章的多少，排列文章發表的學報的高下。如此一來，為了生計，年青的講師就單為可以發表而下筆，但求數量夠多；或設法找校外的人合作，一篇計兩篇；或把一篇長文分作兩篇或三篇；或嘩眾取寵，但求有國際性的學報收容；又或者有意或無意地製造「證據」……這一切，都是搞笑的行徑了。

真正的學術，是要追尋一些有啟發性的思想。這樣的文章十年一篇已是很不容易了。要寫有思想的學術文章，年青的後輩就要向巴賽爾學習一下。此公為文的出發點，永遠都是因為有些世事他不明白，要試行解釋。解釋得對或是不對，無關宏旨，重要的是要從「不明白」為出發點。

科學上的學術，從來都是由「不明白」引起的；而畢生為了要明白而生存，就是學者。

我比不上巴賽爾。

博士論文是怎樣寫成的

一九九九年八月二十日

一位在香港理工大學作研究生的同學，讀到我最近在《壹週刊》發表的關於學術研究的文章，說他和一些同學很想知道關於寫論文的事，陳辭懇切，希望我能在《壹週刊》作回應。既為人師表，這樣的要求我是不能推卻的。

先答該同學的一個問題：博士論文與碩士論文有什麼分別？嚴格來說，沒有分別。一篇好的碩士論文，勝於一篇平凡的博士論文；一篇博士劣作，碩士不如也。因此，一位大學研究生，若有進取心，是不應該考慮寫碩士論文的。

在美國，經濟學碩士是不用寫論文的。大致上，該碩士是個安慰獎。你攻讀博士讀了兩三年，校方認為你拿博士沒有希望，但又不好意思要你空手而去，就給你一個碩士。

在美國的名大學，如芝加哥大學，一位學生申請讀碩士，是不會被考慮的。這是因為他們認為申請者沒有進取心，孺子不可教也。

同學提出的第二個問題，是校內的老師說博士與碩士論文的分別，是有或沒有創見。錯！英諺云：太陽之下沒新事。另一方面，只要不是抄襲，是自己想出來的，要完全沒有創見就不容易。

舉一個例。我自己的博士論文——《佃農理論》——推翻了經濟學二百年的觀點，應該是有創見了吧。但我的老師艾智仁對我說：「你的佃農理論是傳統的經濟理論，半點創見也沒有；但傳統的佃農理論，卻是因為不明白經濟理論而搞錯了。」這樣，你說是我創新，還是歷來分析佃農的學者創新？

同學要注意的，是絕大部分的所謂創新觀點都是廢物，一文不值的。刻意去創新是犯了學術上的大忌。找到了一個自己認為需要解釋的現象或問題，翻閱一些有關的論著，就放膽地自己去想，想時要完全不顧有沒有新意——到最後，有就有，沒有就沒有。在經濟學行內我被認為很有新意，主要原因，可能是我很少閱讀他人的論著。

六十年代初期，我大約下過三年苦功讀書，晝夜不分地在圖書館內生活，但其後就與書隔離了。嚴格來說，我沒有讀書（或讀他人的論著）起碼三十年。我喜歡天馬行空地自己去想——就是與同事研討我也是不喜歡的。對我來說，獨自思考是一種樂趣，因此，在學術上我從來沒有與他人合作過一篇文章。

要寫博士論文嗎？工欲善其事，必先利其器。要寫經濟論文，你對經濟理論一定要有相當的掌握，因為問題一定要從一個理論基礎去看。但這理論的操縱不需要很全面。經濟學理論的全面操縱，花一生也不足夠。你要全面有點認識，但在某一部分要知得很深入，掌握得很通透。

舉一個例，高斯（R. H. Coase）對一般的經濟理論知得很少，但在「成本」的概念上卻超人幾級。他所有的重要論著都是與「成本」有關的。我自己對一般經濟理論的認識，比高斯多，但卻比不上港大的任何一位同事。但像高斯那樣，我有一技之長：在價格理論中，我對需求定律的認識自成一家，所以每次出招都是需求定律，雖然我很少提及「需求」這一辭。

任何世事，可以從很多個不同的角度看。高斯以「成本」看世界，我以「需求」看世界，但大家的結論十之八、九都是相同的。所以同學要寫博士論文，或要在經濟學上有點建樹，對經濟理論要簡略地全面知道，但更重要的是要集中而深入地對某部分（或某小部分）操縱自如。

沒有如上所說的理論基礎，你本領再大也不容易寫得出一篇可取的論文。這好比建造房子，你不懂得用工具，從何建起？天下的工具數之不盡，你不可能件件皆能。與其每件一知半解，倒不如選一兩件自己可以控制自如的。

有了工具，其他的就要靠自己，也要碰碰運氣。經濟學的實驗室是真實的世界，那你就要到市場走走。你要像小孩子那樣看世界，或學劉姥姥入大觀園，盡可能天真地看。

沒有成見，不管他人怎樣說，你會覺得世界無奇不有。任何一「奇」，都是博士

論文的大好題目。試舉一些例子吧。

為什麼在有競爭的市場上，購物者會討價還價？所有經濟學課本都不容許這個現象——我自己為此想了三十多年，到去年才找到答案，但因為退休將至，不打算下筆了。為什麼在九龍廣東道的玉器市場，玉石的原件出售時不切開來，讓買家看不清來猜測石內的玉質是怎樣的？為此，一九七五年我坐在廣東道的街旁賣玉，到七六年有了答案，但今天還沒有寫出來。

是的，科學上的學問，是因為不明白而要試作解釋，對或錯不重要，有沒有文章發表也不重要。重要的是要滿足自己的好奇心。同學們若沒有好奇心，就不應該在什麼學位名銜上打主意。你要在名片上印上什麼銜頭，沒有誰管得着。（我自己是從來不用名片的。）

找到了認為需要解釋的現象，你就以自己所知的理論作分析，有了大概的答案，就以假說（Hypothesis）的形式來處理，再到市場搜集證據，印證自己提出的假說是否被推翻了。這樣，博士論文就是一級的。

達到如上所述，你還要做兩件事，其一不重要其二重要。不重要的是要追查你的論文題目有誰作過類同的研究，補加些註腳，充充場面，好叫論文比較容易發表。重要的是到最後你要把自己的假說一般化，希望這假說能引用到不同的現象去。

這最後一點的或大或小，或成或敗，就要靠點運氣了。高斯因為研究電台的廣播頻率而成功地把問題一般化，成立了高斯定律，拿得諾貝爾獎！

價格理論快要失傳了

一九九九年十月十五日

經濟學的發展在走下坡！十多年前我就這樣說。當時持這觀點的有布坎南（J. Buchanan）、高斯（R.H.Coase）、雅倫（W.R.Allen）等人；不肯定的有巴賽爾（Y. Barzel）、艾智仁（A.A.Alchian）；認為後生可畏的有赫舒拉發（J. Hirshleifer）。今天，這些人都一致同意「走下坡」這個說法。

但為什麼經濟學會走下坡呢？這個問題就不容易有一致的答案了。高斯認為今天的後起之秀多用數學，以致沒有內容。佛利民也認為數學是用得太過分。艾智仁及巴賽爾認為博弈理論過於普及，而這理論其實有沒有可取之處還不知道。貝加（G.Becker）、H.Demsetz 等人則認為博弈理論是走錯了路，是不應該鼓勵的。

上述對經濟學發展起碼有所保留或搖頭嘆息的人中，最年輕的是我，而我是六十三歲了。那是說，老一輩的與年輕一輩的，對經濟學的看法截然不同。這個現象可能是經濟學歷史上從來沒有出現過的。

最近在西雅圖與巴賽爾相聚，談到經濟學的發展，我對他說經濟學走下坡，可能不是因為數學用得太多，而是後一輩的似乎不懂價格理論。他想了一陣，同意了。價格理論是經濟學的基礎。一個從事經濟研究的人，什麼其他理論都可以不懂，但不能

不懂價格理論。另一方面，只要你能對價格理論（是指 Price Theory，不是指 Microeconomics）掌握得通透，其他的任何理論都可以變化出來。

今天經濟學研究院的必需讀物，與四十年前的完全兩樣。古典經濟學的論著，我作學生時必讀的有史密斯、李嘉圖及米爾的三本巨著。今天的學生，讀過此三書的機會是零。古典經濟學完全沒有數學，而錯漏的地方頗多。但這些論著是為真實世界而下筆，對經濟問題的處理有一套不可忽略的辦法，是價格理論的出發點。漠視了這些前賢之見，處理經濟問題就會脫離現實了。

到了新古典經濟學，我作學生時必讀的有 Marshall、Wicksteed、Fisher、Knight、Robinson 等人的作品，而今天的研究生，讀過的機會是近於零。這些讀物，雖然比較舊而錯的地方有的是，但提供了價格理論的架構基礎。可能我有點老糊塗，但我就是不明白，若沒有拜讀過馬歇爾（Marshall），怎可以知道價格理論的本質？

幾年前我問過幾個專於金融財務學的年青學者，有沒有讀過費沙（I. Fisher）的《利息理論》。他們都說沒有，因為是過時了。胡說八道！這些後起之秀本領再大，也不可能有費沙十分之一的功力。今天不能，永遠也不能！（費沙名著的第一段只有一句——「收入是一連串的事件」——不知他們想過沒有？）

轉談我這一輩的「新」的價格理論吧。高手如佛利民、史德拉、艾智仁等的論著，作學生時我不僅讀過，而他們書中的每一條問題我都瞭如指掌。今天的年青經濟學者，對這些大師的價格理論作品大都不大了了。幾年前遇到一位很有天分的中國年青經濟學者，在英國的一間名大學拿得博士的。我問他有沒有讀過佛利民的《價格理論》一書，他說沒有，因為是過時了！沒有讀過佛老該書的第五章多次，怎可以知道成本與競爭的關係呢？當然，你可以無師自通，自己發明，但何必自創人家已經說過的？虛心地拜讀，讀之再三，不是會節省很多時間嗎？

其實，價格理論開始失傳，我早應在十多年前就察覺到。那時替香港中學的高級會考出經濟試題，我問：什麼是價格？（What is price?）中學教師及同事們無不嘩然，認為我不應該那樣問。可能他們認為我問得太淺吧，但今天的經濟學博士大部分應該答不出來。這個「淺」題目是艾智仁三十多年前出博士試題時常問的，我當時只答一句就過了關：價格是消費者在邊際上願意付出的最高代價。

在加大考博士口試時，赫舒拉發問：為什麼需求曲線是向右下傾斜的？我答：因為人的行為就是那樣。赫氏當時是考理論的代表人，聽到我那樣答了一句，道：你在理論上下過功夫，我不用再問了。這一問一答後來在加大傳為佳話。

有實用性的價格理論，永遠都是那樣「淺」。問得淺，答得也淺，困難就是要明

白重點所在，而這個「明白」是要花很長的時日才可以掌握到的。

當年老師雅倫對我說：世界很複雜；後來老友佛利民對我說：世界很簡單。這二者看來是各走極端的看法，其實是同一回事。雅老是說複雜的世事，不容易解釋；佛老是說若有可取的解釋，必定是簡單不過。這二者加起來是說，複雜的世界以複雜的理論解釋，其成功機會近於零；複雜的世界是要以簡單的理論才有機會解釋的。

價格理論之所以是經濟理論不可或缺的基礎，是因為一旦掌握得通透，簡單之極。問題是這「通透」來得不易：概念要懂得透，重點要拿得準，引用時要來得活。要達到這樣的水平，我們要由淺入深，由深轉複雜，然後再回到深，又再到淺。我自己來來回回幾次後，三十年來就只懂得用淺的，而忘記了深的或複雜的了。

今天經濟學的後起之秀所寫的文章，我一看其理論就覺得複雜無比，不想再讀下去。這使我意識到，價格理論快要失傳了。

懂深不懂淺的學問

一九九九年十一月十二日

不久前發表了兩篇關於學術的文章——《博士論文是怎樣寫成的》及《價格理論快要失傳了》——獲得頗大的反響。不幸的是，大聲拍掌的都是學術界外的專業人士，學術界內的半點反應也沒有。

最近收到柏克萊加州大學一位研究生的信，說他（顯然是在網上）讀到我的《價格》一文，一方面同意我的觀點，另一方面不同意我主張以簡單的理論來解釋複雜的世界。這位同學認為簡單的理論不切實際，脫離了現實。他說真實的複雜世界，是要以複雜的理論才能解釋的。

我不知道這位同學所學的是哪一個新學派。我這一輩的理念是，理論不是真實世界的影照，而是真實世界的闡釋。別的學術不說也罷，但就經濟而言，我從來沒有見過一個真實現象能成功地被一個複雜理論解釋過。成功解釋所用的理論永遠都是那麼淺，淺得有點難以置信。

一個現象可能由好些不同部分組合。要把整個現象解釋，可用幾個不同的簡單理論，逐部分擊破。在經濟學來說，不同的簡單理論，歸根究底，來來去去都是兩招基本的原理，活學活用，千變萬化，可以推出數之不盡的理論來。

上述的兩招基本經濟原理，香港唸經濟的中學生都學過，只是功力尚淺，不知道這兩招可以用得威力無窮。我曾說過真正的理解，要由淺入深、由深轉複雜，再由複雜轉深、再轉淺，來來回回好幾次。

第一招，自私的假設，是說每個人在任何情況下，皆毫無例外地在局限條件下爭取最大的利益。這當然包括那所謂功用函數（Utility Function）了。這函數可以用得很深，但都派不上用場。重要的「用場」是局限條件在真實世界中的變化。數之不盡的變化要怎樣分類、量度、處理，是困難的工程。高手與低手之分，往往在於局限條件的處理手法；正所謂差之毫釐，謬以千里。

第二招，需求定律，是說每個人在任何情況下，其需求曲線皆毫無例外地向右下傾斜。那是說，若價格（或代價）下降，需求量必定增加。這個只一句話就說完的大名鼎鼎的需求定律，我今年在港大教一小組學生要教十二個星期。單論什麼是「量」，我說了兩個小時，只能表達一點皮毛而已。

需求定律不僅包括需求函數（Demand Function），也包括生產函數（Production Function）。認為這二者是兩回事的經濟學者，是讀壞了書，把問題看得太複雜了。（這裡順便一提：最近在北京的一次講話中，一位教授堅持需求曲線不一定向右下傾斜，指出好些課本說有時是向左下傾斜的。我說若二者皆可，經濟解釋

就不可能錯，所以就不可能有經濟解釋。說來說去那教授也不明白。他不明白科學的假說不是求對，而是求可能錯。）

在解釋世界的經驗中，我從來沒有用過上述以外的兩個招式。我所認識的，比我年長的經濟學大師，有時喜歡過一下數學方程式的癮，花巧地表演一下。但若與他們坐下來，問他們有什麼在這兩招之外的新意，他們是答不出來的。去年在一篇關於交易費用的文章的結論中，我就提到經濟學的整體其實只有這兩招。佛利民、赫舒拉發及巴賽爾三位高人讀該文後，一致認為我這結論重要。

我在《價格》一文內，提到經濟學在走下坡，認為今天經濟學的後起之秀不懂價格理論。但想深一層，這些年青學者不是不懂，而是懂深不懂淺。他們可能認為高深的學問才是真學問，卻忽略了懂深不懂淺不算是真的懂的哲理。

為什麼一門精彩的學問會搞成這個樣子呢？一個解釋是故扮高深，沒有人明白就算是有學問，可以說自己看到了皇帝的新衣。今天，這個解釋對某些青年學者可能適用，但似乎不是多數。他們大多數不可能不知道，高深莫測的文章可以有學報發表，但不會有持久地被人重視的市場。

另一個較為可取的原因，是今天的年青經濟學者對解釋世事失卻了興趣。他們但求有文章發表，也要表演一下本領，所以就把一門科學作為一項類似下象棋的玩意，

越深越有斤兩。高低於是以深淺來衡量，以複雜勝簡單。於是大家一齊向深處鑽，過不多時，淺的因為無人問津而變得大家都不明白。

愚見以為，懂深不懂淺的學問，走火入魔也。

從蒙代爾看六十年代的芝大經濟學者

一九九九年十一月十九日

不久前蒙代爾（R.Mundell）獲諾貝爾經濟學獎，林行止在頌文內談及我知之甚詳的六十年代的芝加哥大學經濟系，有些地方說得不對。我本來不打算回應，但幾天前的晚上我翻閱舊作《憑闌集》，讀到自己在九年多前寫的一段話，回味無窮，忍不住要補充一下。那段話是這樣的：

「在經濟學的歷史上，似乎只有兩個年代，兩個地方，有那樣熱鬧的思想『訓練』所。其一是三十年代的倫敦經濟學院，其二是六十年代的芝大。我由六七至六九年在芝大，身歷其境地躬逢其盛，算是不枉此生。」

這段文字發表後，再有五個當時在芝大的朋友獲諾貝爾獎，好像是不費吹灰之力似的。

記得我在六九年決定要轉往西雅圖華盛頓大學任職時，芝大的經濟系主任 A. Harberger 對我說：「為什麼那麼傻，我們現在的經濟系的強勁是史無先例的呀！」我當然知道該系強得厲害，但說是世界歷史高峰，當時有點懷疑。

於今回顧，點只高峰咁簡單？想想吧。芝大一共有八個經濟學者拿得諾貝爾獎，那大概是所有獲該獎的五分之一，而這八位都是六十年代任職於芝大的。從芝大六十年代的經濟英雄榜上看，應該還有兩三位可獲諾貝爾獎。說是史無先例應該沒有人反對，要賭後無來者應該沒有人敢下反對的賭注吧。

蒙代爾是六十年代的芝大怪傑。我認為他是在九一年高斯之後，最值得獲諾獎的人。他是個如假包換的天才，屢有新意，而我們認識時他住豪宅，好開豪華的酒會，衣着時尚，英俊瀟灑，風流倜儻，殊有奇氣。他不喜歡多説話，教書有如天馬行空，而作為本世紀最有地位的經濟學報（JPE）的主編，投訴的人不計其數！

這個有時思想難以捉摸、有時喜歡胡説幾個數字的蒙代爾，凡事都看得極為簡單。可能是因為這樣，他的判斷力是我所知的經濟學者中最準確的。

他主張貨幣要用金本位制，我問他為什麼，他回應道：「古代的羅馬帝國及後來歐美經濟最繁榮的一段長時期，都是用金本位的。」二十多年前，美國的通脹把經濟弄得一塌糊塗，蒙代爾在《華爾街日報》發表了一篇短文，建議以金本位保鈔票的一個百分率。這是今天香港所用的聯繫匯率的另一個版本了。

一九六九年，世界金價由美國規定每安士三十五美元。歐洲建議以紙券指明金量，用以代金。我問蒙代爾可不可行，他說：「你要紙還是要金？要賺點錢，大手購

入黃金吧。」後來在該年的暑期我回港度假，朋友見我是經濟學者，問我有什麼好投資。我說：「買金吧！」這些朋友買金後，其價下跌了百分之五，他們就把金沽掉，虧了本，把我大罵一場。殊不知罵聲未了，金價馬不停蹄地上升了十一倍。後來聽說蒙代爾賺了大錢。

六七年我初出道時，把一篇頗長的關於佃農制度的文章，寄給大名鼎鼎的AER學報。編輯回應，要我修改文中最重要的一點，我原封不動地把該文轉交給蒙代爾。他讀後對我說：「你為什麼那樣蠢，把兩篇文章合為一篇？這樣吧，在這裡把文章一分為二，第二節跟第三節調換位置。我要第一篇，把第二篇給高斯的學報。」

我照他的建議修改，不到兩個小時就改好了。後來他把他要的那一篇放在JPE之首，高斯把他要的排在JLE的第二位。如此「出道」很不錯，但要靠蒙代爾的簡單判斷。

六八年，中國文革當道，我搞笑地寫了一篇題為《費沙與紅衛兵》的短文，不打算發表的，目的是讓芝大的同事娛樂一下。蒙代爾看到該短文後，堅持要將之發表。我說：「我是故意幽默一下文革的，不應該發表吧。」他道：「你聽過『幽默中有真理』這句話嗎？你若不介意，我就發表。」

從蒙代爾看六十年代的芝大經濟系，是適當的，因為此公性格突出，很有當年芝

大的代表性。

其一，蒙代爾「怪」得精彩，而當年芝大的經濟學者，大部分都算是怪人。今天，好些香港人認為我怪得出奇，但比起當年的芝大同事，我是小巫見大巫，不敢認怪。

其二，當年芝大的高手好些嗜酒，而蒙代爾是免費大量供應美酒之人。大家於酒後的深夜，創作去也。要說得順理成章，他們就發明了一個「一杯的假說」。那是說喝了小量酒之後思想能力上升。不幸的是那所謂「小量」往往不小。夏理．莊遜以半瓶烈酒為小，以一整瓶為一晚之限。後來莊遜因酒謝世，他們就廢除「假說」，不再多喝了。

其三，那所謂芝加哥經濟學派，與眾不同之處，是重於闡釋世事。專於理論的蒙代爾，對歷史知得廣而精。

其四是不拘小節。莊遜有時穿拖鞋授課；Uzawa 在十個星期的學期內，八個星期在日本，回芝大後要學生整天跟着他，每天教十多個小時地教兩個星期。問蒙代爾借一本書，他不可能記得這回事。

是的，說六十年代的芝大經濟系很有點亂來，是對的。但要把眾多天才集在一起，不可能不讓他們亂來一下。井井有條算是什麼天才呢？

當日認為蒙代爾做編輯做得亂七八糟的朋友，今天都認為他做得非常好，因為在他的編輯下，精品甚多。

我想，學術到了最高的境界，免不了有點怪，有點糊裡糊塗的。

衡量學術的困難

二〇〇〇年三月九日

香港政府用了那麼多錢資助教育，他們要設立一些委員會來監察教育、衡量學術的成敗，是不難理解的。近幾年來，衡量大學教師的研究是大話題。很不幸，以我所知的經濟學來說，所有被採用的衡量準則，都有反效果。

數文章發表的多少，評定文章發表的學報高下，甚至計算文章在國際上被引用的次數，都無聊，是作不得準的。就我所知的國際上最優秀的經濟系而言，沒有一家採用這些準則。

困難明顯不過。一家餐館的菜式怎樣，每個顧客都可以立刻發表意見，而這些意見不管對或錯，顧客吃後不再光顧就說明了一切，而這個市場準則大致上是對的。當然，除了味道，一家餐館的成敗還要論價格及成本的控制，服務的水平及管理等。這些大學也要顧及，但學術研究的（思維）味道要怎樣來品評，由誰品評，以什麼準則來品評，就是私立大學也不容易取決，公立的就更困難了。

一九六八年，我在芝加哥大學作助理教授，問大教授D. Gale Johnson關於升級的衡量準則。該大學的經濟系當時是世界之冠，升級單論研究成就，不論教書教得怎樣。我問：「文章要有多少才可升級？」答曰：「據我所知，從來不計多少。」再

問：「發表的學報聲望計多少？」答曰：「從來沒有想過。」再問：「多取幾個名銜怎麼樣？」答曰：「沒有誰管你的名銜。」「沒有博士也可升級？」「當然可以。」我再問：「一篇文章也沒有發表過，可以升級嗎？」答曰：「可以的。」我逼着又問：「連文稿也沒有一篇，也可以升級嗎？」答曰：「那會比較困難，但要是你能多說話，表達你的思想，若夠分量，升級單靠口述是可以的。」到最後，我問：「那由誰決定呀？」答曰：「我們這些正教授。但通常佛利民等大師怎樣說，不會有人反對。」

也是一九六八年，我的第一篇文章《私有產權與佃農制度》發表於芝大的《政治經濟學報》，排在第一位置。該學報舉世尊為一哥，我有點飄飄然。過了兩天，在系內遇到當時的系主任A. Harberger。他高興萬分地說：「我剛才讀完了你的《佃農》文章，覺得有趣味。」

我說：「有趣味？究竟是好還是不好？」他答道：「我說『有趣味』是我對任何文章的最高評價了！」

Harberger擺明是餐館顧客。我是《佃農》的廚師，他說味道好，我還要他再說些什麼呢？三十年後——一九九八年——洛杉磯加大舉辦一連十年、每年一個的Harberger演講，邀請我為第一個講者。我同意後，邀請的主事人說，選我開鑼是Harberger的主意。我大喜之下，想到三十年前的往事，說：「請轉告Harberger，

他的品味好！」（He has good taste!）

學術成就的大或小，通常要很多年後才知道。要先在今天來品評，較為可靠的是味道（Harberger所說的趣味——interest）。但由誰作味道的品評呢？誰是學術上的蔡瀾、肥佬黎、周安橋？

說實話，雖然香港的學術遠不如「自以為是」的水平，但有品味，懂得品評的學者是有的。不是每一個學系都有，但高人總不至少於鳳毛麟角。問題是，在目前的好幾家公立大學的競爭中，要在本地選出眾所認同的「味道」品評者就不可能。

是的，學術成就的衡量，最可靠是經得起時間的考驗。學術是不能永久地嘩眾取寵的。不得已而求其次，味道的品嘗不可或缺。今天香港所選用的準則，每一項都有反效果。

數文章多少嗎？就是歲近黃昏，強而為之，我今天還可以每年在國際學報上發表三十篇。這是因為我懂得被學報接受的文章規格，或公式，知道怎樣胡說在短期內可以瞞天過海，也明白同一論點，可以改頭換面地寫十多篇文章。（有人問史德拉，為什麼他的文章數量不夠某些學者多，他答道：「我每篇文章只寫一次！」）

論學報地位的高低嗎？那你就要把「公式」改變一下。要增加被引用的次數嗎？我又可以教你另外一套法門。這些無聊的玩意，說出來會誤導青年，不說為妙——雖

然最近道聽途説，一些香港的年青學者正在研究這些法門。

優質的學術如葡萄美酒，要經得起時間的考驗。但在釀葡萄酒這個行業中，有些專家能品嘗新酒而相當準確地推斷十年之後的酒味。要品評香港的學術，我們需要這種專家。要不然，我們就不妨等二十年。一篇文章發表後的三幾年，因為嘩眾取寵，或錯得驚人，被引用的次數可能不少。但若二、三十年後還常被引用，就是葡萄美酒了。

在目前香港的情況下，我認為最可取的評審學術方法，是要每一系的每一位教師，選出自己五年內最稱意的一至兩篇文章（未經發表的文稿亦可），集中起來，到外地找三位有分量的學者作品評。五年辦一次，費用不高——比現在的「麻煩」費用少得多。更重要的是，我們可以因此而避免那些正在興起的，為爭取現用的準則的分數所導致的巨大浪費。

我們要讓年青的學者在重要的題材上打主意，日思夜想，想了幾年才下筆。我自己的習慣，是幾個題材在同時期轉換着想，過了些時日，其中一個突然間覺得可以下筆，甚至忍不住要下筆。一下筆，通常只是三數天的工夫。這樣寫出來的文章是不容易被忘記的。

文化二三事

杜牧的揚州

一九九九年七月十六日

在科技發達的今天，在中國因為開放而大興土木的二十年，揚州的名字並不響亮。古城揚州，曾經是運河重點而自古繁華。近百年來，因為火車及其他交通的普及，揚州被上海、杭州等城市比下去了。

我不敢小看揚州，因為在個人的直覺上，自古以來，詠揚州的詩詞比中國任何其他城市多。我好詩詞，愛屋及烏，自小揚州的名字就令我嚮往。詠揚州的佳作不勝枚舉。先看李白的《送孟浩然》：

故人西辭黃鶴樓，
煙花三月下揚州；
孤帆遠影碧空盡，
惟見長江天際流。

瀟灑如斯，竟然比不上杜牧。小杜遺留下來十首詠揚州的詩，茲錄其二如下：

《遣懷》

落魄江湖載酒行，
楚腰纖細掌中輕；

十年一覺揚州夢，
贏得青樓薄幸名。

《**寄揚州韓綽判官**》
青山隱隱水迢迢，
秋盡江南草未凋。
二十四橋明月夜，
玉人何處教吹簫？

是的，以「七絕」來評品，從「詩意」論高下，我認為小杜勝大杜（杜甫）是毋庸置疑的。再看三首小杜寫江蘇一帶吧：

《**山行**》
遠上寒山石徑斜，
白雲生處有人家。
停車坐愛楓林晚，
霜葉紅於二月花。

《**江南春**》
千里鶯啼綠映紅，

水村山郭酒旗風。
南朝四百八十寺，
多少樓臺煙雨中。

《泊秦淮》

煙籠寒水月籠沙，
夜泊秦淮近酒家。
商女不知亡國恨，
隔江猶唱後庭花。

不要以為杜牧是個浪漫詩人，只懂得醉臥青樓的那一類。我們不要忘記，《阿房宮賦》那篇蘇東坡曾經日夕朗誦的大文，是出於杜牧之手。

我是因為杜牧的文采而要到揚州去的；趕着上路，只能在那裡勾留了四個小時。從南京到鎮江，北渡長江，經過一小段不起眼的路程，抵揚州。古城名不虛傳。文化氣氛撲面而來，我想，這就是揚州八怪的地方了。

記得在中學唸書時，老師説到揚州八怪，以「怪」字來形容，大有貶意。後來長大了，對中國藝術有所認識，我才知道「八怪」非同小可。是的，清代中葉的揚州藝術，有理論，也有創意，是一個重要的派別發展。我曾經尋尋覓覓，也找不到一本對

這發展有深入研究的書。這是中國藝術的不幸。

在揚州一處有眾多攤販出賣雜物的地方，有幾檔是賣國民黨時期的舊鈔票的。難得見到有那麼多而又不同的舊鈔集中在一起，我花了個多小時討價還價，全部買了下來，以至自己一貧如洗。

大約共有一千三百張舊鈔，是國民黨時期多個政府騙局的證據，申訴着本世紀上半部炎黃子孫的血淚史實。我是搞經濟研究的，見到那麼多五花八門的舊鈔，刻劃着一個風風雨雨的時代，怎會不見獵心喜？當然，這些舊鈔在香港也可以買到，但價錢肯定貴得多。

我自己老了，再沒有魄力對這些舊鈔作深入的研究。但我想，今天數以千計的中國年青經濟學者，整天說研究呀研究的，卻老是在空空如也的數學方程式上打轉。難道他們不知道，經濟學是為解釋真實世界才發展起來的？單是我在揚州購入的舊鈔，加以調查分析，四、五篇精彩論文是沒有問題的吧。

瘦西湖是揚州的旅遊重點。以幽雅來評品，此湖勝杭州西湖。難得的是瘦西湖四周的建築皆古，看不到新建的高樓大廈，使遊者覺得是走在歷史中。

好不容易找到那有名的「二十四橋」，很失望。是十多年前「重」建的——寬二米四，長二十四米，橋柱二十四支——老土之極，有辱古人。

究竟在杜牧的唐代是否有一條「二十四橋」，倒是個有趣的問題。傳說有三。一說當年有二十四個美人在一條橋上吹簫，故得名。二說揚州當年有二十四條橋，非一也。三說當年某吳姓人家，建一橋而名之「念四橋」——「念」者，二十也。

今天我們唯一可以肯定的是：「二十四橋」知名天下，因為一千一百五十多年前杜牧在詩中寫下：「二十四橋明月夜，玉人何處教吹簫？」文采有千鈞之力，於此可見！

有機會我會再到揚州去的，去小住數天，結識那裡的一些騷人韻士，以暢平生。最好的季節應該是農曆三月。「煙花三月下揚州」，是李白說的。

氣氛與文化

一九九九年九月十七日

十多年前余英時教授說香港沒有文化。從任何角度看，這觀點是不對的。以比較保守的準則來衡量，金庸與梁羽生的武俠小說、唐滌生的粵劇，怎會比不過魯迅、巴金等人的成就；而舒巷城的文藝作品，只有在香港土生土長的人才可以寫出來。

廣泛一點看，三十年代的小明星及五十年代的紅線女，都算是重要的文化人物；而香港五十年代的黑白攝影，於今回顧，是一項重要的文化發展了。

再廣泛一點看，五十年代初期在香港街頭以賭棋為生的楊官璘，在聖公會以書作球拍來賭乒乓球的容國團，就是拿着風箏到處找敵手的我，都算是文化人物。

看近一點，香港的文化也是自成一家。三蘇、哈公等人的怪論，在外地我從來沒有見過。今天的林振強，只有香港才可以產生出來。李碧華、尊子等人的風格，在外地不容易找到。周潤發與張曼玉，不妨加上梅艷芳及其他的，一看就知道是香港特有的演技。難道李小龍的功夫是在美國學得的？當然，我們還有一個許冠文。

我提到這些，是要表揚一下我們這個小小的東方之珠，有文化沙漠之稱的，在文化上實在有很多方面很了不起。我認為文化不應該單從莎士比亞、畢加索等人的作品的狹窄角度看。從文學的角度看，林振強當然比不過狄更斯。但文化不是文學，要論

多采多姿。這後者，林振強算是及格了。你不喜歡是一回事，但你不能不同意，香港的文化無奇不有。

我這樣說，有兩個原因。其一是文化不限於文學、藝術之類的「大路」貨色——半個世紀前在香港街頭賣藥的講古佬，何嘗不是文化人物？其二，文化的產生，必是與某種氣氛相連的。社會缺少了某種氣氛，就不可能有某種文化。那是說，文化不是由一個或幾個人創造出來的。

王羲之有蘭亭之盛，王勃表演於滕王閣，李白夜宴於桃李園，米芾與蘇東坡等高士雅集於西園，都是有記載的氣氛濃厚的文化例子。其後徐文長的什麼七子，鄭板橋的什麼八怪，其參與者當然不止七、八個人。歐美的經驗也如是。百多年前法國的印象派藝術光芒萬丈，是由數十個天才或近於天才的富家子弟聚在一起，吵呀吵地吵出來的。

六十年代初期我在洛杉磯加州大學唸書時，就逢場作興地遇到幾個氣氛濃厚的組合，改變了我的一生。

最重要的當然是六一年我進入研究院後，數十個同學中有十多個整天只談經濟學，不顧其他。我們天天聚在一起，對經濟理論與科學引證的問題翻來覆去地爭論。對一些論著拍案叫絕，對另一些破口大罵。偶然有人解通了凱恩斯的某一句話，就誇

誇其談，解不通的就罵凱恩斯。當時經濟發展的學說如日中天，但我們讀一句，罵一句，罵得痛快。（後來這發展學說果然不成氣候，慘淡收場。）

某教授說過一句比較有新意的話，我們那組人總要品評一下。艾智仁當時還未成名，但因為大家都喜歡把老師的話試行推翻，過了不久，大家都同意艾氏是天下高手。午餐時一人一塊三文治，一盒牛奶，聚在一起打橋牌。一篇重要的經濟學文章放在牌桌上，傳來傳去地閱讀。叫牌的叫，出牌的出，其他的讀一句或一段，又作品評了。

有這樣的求學氣氛，再蠢的人也會變為個準天才。大家都有求知慾，若有新的啟發，就總要不停地辯論三幾天。沒有誰去理會考試那回事。

比較不重要的是我在攝影上的發展。也是六十年代初期，為了要賺點外快，每星期我花一個晚上在好萊塢傳授燈光人像及黑房技術。因為大家興趣相同，觀點相近，開始的幾個人過了不久就增加到十多個。每星期的那一晚，我傳授的時間愈來愈短，而座談則愈來愈長，非凌晨後不散。今天，有人說新潮攝影起自洛杉磯。若如是，就是起在我們那組人。

我原來對音樂一無所知，因為我的耳朵對音調的小差距分不清。但六十年代初期我的攝影朋友中有兩位是音樂高手。他們介紹我認識好些懂古典音樂的朋友。這些朋友比上不足（不是演奏大師），比下有餘（高出一般音樂教師幾個馬位），都是懷才

不過的。週末，我很喜歡跟他們聚在一起，聽聽他們對音樂的意見，讓他們在鋼琴或其他樂器上表演一下。他們談的我初時完全不懂，但過了一年，就懂得一點兒——夠我享用到今天。我特別喜歡莫扎特，是這些朋友影響的。

是的，我認為有了氣氛，文化必定會隨之而來。困難是氣氛不易搞。「氣氛」這回事，是要有好些因素的合併才可以搞起來的。八二年我回港任教職時，第一個重點就是要在經濟系內搞起學術氣氛，但搞來搞去也搞不起。這個失敗的主要原因，是我們找不到一堆可以成量的好研究生。最近兩三年我們的學術氣氛有明顯的改進，但距及格的水平尚遠。

最後，我要說一下香港要搞高科技的困難。資源的問題姑且不論，我們要知道高科技也是一種文化，而像其他文化一樣，要搞起來就先要有氣氛。目前，香港的科技氣氛是不容易感受到的。

去年，我到加州的一位朋友家中作客。在宴會中聽到成年人與成年人的對話，孩子與孩子的對話，我大部分聽不懂。他們所說的是有關電腦的術語。這就是搞高科技必須的氣氛與文化了。

香港有金融的文化，有市場的文化，也有賭馬的文化。高科技的文化，所差甚遠矣！

香江第一筆

一九九九年九月二十四日

在飛美的機上，看到一位乘客手上的報章有一廣告的大字標題寫道：「香江第一健筆獨領風騷」。我對自己說：我可沒有發這廣告，難道是阿康發了神經？忍不住向該乘客借報一讀，原來文中的主角是林行止。心想：那也說得是，山木兄真的是香江第一筆！

要是一年只寫一篇二千字的論文，我有資格參加世界大賽。一個月寫一篇，我對自己滿有信心。一星期一篇，我勉強可以應付。但一天寫一篇，每星期寫五篇，不停地寫二十多年，而每篇有點分量，有點看頭，我怎樣也比不上林行止。山木非凡人也！

朋友，你試過在刊物上寫專欄嗎？定期交稿，不交不可的寫法，其苦處不足為外人道。每天寫一篇簡短的專欄，閒話家常，說些感受或說一下自己的價值觀，不難辦到。就是每天寫幾篇也不太難。寫專欄的人總要有一點才情，最差的也算是半個才子。既為準才子，眼之所見，心之所向，情之所至，總有些話可說。這好比寫日記，任何人——不論才子——都可以寫出來。

林行止寫的是論文，那是另一回事了。那是很了不起的另一回事。試想，我每星

期寫一篇半論文、半散文，寫了十個星期，就覺得選題材極之困難，大有江郎才盡之感。阿康一星期寫兩篇，其本領比我高一倍。回想八三年末我開始在《信報》寫《論衡》時，每星期寫兩篇，勉強可以應付。但那時是介紹產權經濟學，又逢九七問題，可取的題材數之不盡。後來改寫中國的經濟改革，一日千里而又千變萬化的，題材俯拾即是，但還是要每星期減至一篇。

每星期能選出五個論文題材的作者，其觀察與觸角必定很超凡，而林行止所選的題目，差不多每天都很起眼。所以我認為，選題材的觸角性能，在今天的中文作家中山木不僅獨步香江，甚至可以說獨步天下。

山木的第二項特出的本領，可不是他專有的——我也能夠。這就是他每篇文章只咬緊一點來寫。這是很重要的為論文之道。今天，數之不盡的經濟學博士級的後起之秀，就是不明白這一點。他們的論文東拉西扯，說來說去也不能使讀者知道文中的重點何在。好幾次我對這些後輩說：「論點不要多，但要明確，你們應向林行止學習一下。」可惜的是，他們聽後如水過鴨背，半點反應也沒有。

記得一九六八年在芝加哥，高斯作《法律經濟學報》的主編時對我說：「有些寄來的文章寫得實在差，但其中有一點不能漠視，這樣的文章是不容易推卻的。」是的，寫論文有一「點」就足夠。東拉西扯，點數再多也是廢物。

一「點」可以兩三句寫完，但也可以翻來覆去地寫三幾千字。林行止的文章，要長則長，要短可短，擺明是運用這技巧的老手了。楊懷康也深明其中道理。

山木兄最後一項的為文本領，就是不怕錯！不怕錯的人寫論文，其觀點是特別明確的。怕錯的作者，凡事要留自己一點餘地的，其論點就不容易明確。模稜兩可的文字，山木是不會寫的。不可能錯的論點是不可能寫得明確的。

一般來說，對的觀點比錯的好；但對得平凡，倒不如錯得有啟發性。事實上，從歷史看，昔日經天緯地之說，今天大部分都是錯了的。山木不怕錯，下筆時就有大將之風。另一方面，他錯的地方，永遠都不是錯得離譜，且往往很有新意。

有時我想，要是山木當年有我的際遇，攻讀經濟，那麼他今天在世界經濟學術上有一席之位，絕對沒有問題。

四十多年來，香港報章的主筆評論中出現過兩個人物。一個是查良鏞，另一個是林行止。這差不多是眾所公認的。好些朋友要我把這兩位高手比較一下。

我以為以漢語論文的文字而言，沒有人比得上老查。論學問，老查的史學非常了得。這二者的合併使他的政評寫得十分好。以史論政，查良鏞獨當一面是沒有疑問的。

林行止的題材比較廣泛，因為他既談政治，又論經濟。他的引證功夫很少走歷史

的路；他喜歡用不同地區或不同理論來辯證。比起老查，山木來得比較博，題材比較奇異，而創意也比較多。

查、林兩位下筆的相同之處，就是大家都咬緊一點來寫，而大家的觀點都是那樣明確的。

我也看金庸

二〇〇〇年一月十三日

北京作家王朔，於去年十一月一日在《中國青年報》發表《我看金庸》一文，痛罵「老金」，稱其武俠小說為「四大俗」之一（其他三俗為成龍、瓊瑤、四大天王）。文壇謾罵歷來無足輕重，但查大俠竟然下筆回應，而且是兩次。戴天等高手群起而出，拳打腳踢，文壇一下子熱鬧起來了。

查先生的兩篇回應寫得好——我是寫不出來的——但我還是同意朋友的觀點，認為查先生不應該回應。他應該像自己所說的：「八風不動。」王朔的文章沒有什麼內容——「人之易其言也，無責耳矣。」（我翻為：胡說八道的話，不足深究。）查老在文壇上的地位，比我這個「大教授」高一輩。但他顯然六根未淨，忍不住出了手。前輩既然出了手，作為後輩的就大可湊湊熱鬧，趁機表現一下自己在武俠小說上的真功夫！

首先要說的，是王朔之文大有「葡萄是酸的」味道。「四大俗」暢銷，賺大錢——王先生說是資產階級的腐朽。批評賺錢作品不容易自圓其說：收入多少與歡迎程度之間是有一個等號的。「俗」有數解，其中「通俗」這一解是好的。說金庸作品通俗，是對的。王先生所說的「俗」不知何解，但肯定大有貶意。另一方面，要找到

四個大受市場歡迎的「不是好東西」，絕不容易。

說金庸作品暢銷，不大正確。金庸是一個現象。他的小說平均每本超過一千版（最多是二千一百二十四版），總銷量（連收不到錢的）達一億！然而，金庸現象的重點，不單是一億這個數字，而是他的作品幾歷半個世紀而不衰。有好事之徒作過統計，在文革期間，《毛語錄》的銷量，竟然比聖經歷來的總銷量還要大。於今看來，老毛的世界紀錄將來可能被老查破了。

我對王朔先生的主要批評，是他不懂武俠小說。他捧出一本《水滸》，但看來不知道還珠樓主那類作品，評武俠小說就不免少了一點基本功。

說金庸，我們要從第二次世界大戰後的社會說起。「年年難過年年過，處處無家處處家。」當時是一個無可奈何的社會，今天不論明天事，過得一天算一天。市場的取向，是在不知去向的日子中找點刺激。黃色刊物大行其道。廣州出了一個雷雨田，其漫畫刻劃時代，也因為夠「抵死」而銷得。

還珠樓主亂放飛劍，牙擦蘇與黃飛鴻鬥個不休，而寫到外國，我們有《陳查禮大戰黑手黨》。老外當時的文化也差不多。從美國運到香港的電影，要不是《原子飛天俠》，就是《銅鎚俠大戰鐵甲人》。

在上述的文化環境中，好些到香港來的外江佬要寫稿為生。其中兩個比較特別：

一個是梁羽生，另一個是金庸。他們談歷史，說藝術，論詩詞；為了生計他們發明了「新派」武俠小說。

大概是一九五二年，梁羽生在報章上連載《龍虎鬥京華》，跟着是《草莽龍蛇傳》。一九五四年左右，當梁羽生推出他最好的《七劍下天山》的同時，一個叫金庸的在《新晚報》(?)連載《書劍恩仇錄》。《七劍》與《書劍》各擅勝場，打個平手，而又因為面目全新，有故事，我們就不再看還珠樓主或黃飛鴻了。

想當年，金庸為了餬口下筆，爭取讀者是重要的。但一九五八年我在多倫多追讀他的《射鵰英雄傳》時，就對文學專家王子春說：「如果《水滸》是好文學，那麼金庸的作品也是好文學了。」

我認為在多類小說中，新派武俠最難寫得好。作者的學問不僅要博，而更重要的是要雜——博易雜難也。歷史背景不可以亂來，但正史往往不夠生動，秘史要補加一點情趣；五行八卦要說得頭頭是道；奇經穴道、神藥怪症，要選名字古雅而又過癮的；武術招數、風土人情，下筆要像個專家；詩詞歌賦，作不出就要背他一千幾百首。

是的，像金庸那類武俠小說，高人如錢鍾書是寫不出來的。你可能說錢大師不屑寫武俠，但「不屑」是一回事，要寫也寫不出來是另一回事了。

雜學不容易，要加起來更困難。風馬牛不相關的事，要有超凡的想像力才能合併得順理成章。武功本身多是虛構，併之以雜學是另一重虛構了。一般小說的虛構可信，但武俠小說是不可信的。事實上，可信的武俠不好看。但太離譜的——取人首級於千里之外的——也不好看。新派武俠小說的成功之處，就是讀者明知是假，但被吸引着而用自己的想像力，暫作為真地讀下去。

打打殺殺的故事，像美國的牛仔片那樣，是不容易有變化的。引進旁門左道的雜學，加之以想像力，而又把故事人物放在一個有經典為憑的歷史背景中，從而增加變化，是一項重要的小說發展。然而，能如此這般地寫得可以一讀再讀的作者不多。梁羽生在《白髮魔女傳》之後的變化就越來越少了。

王朔大事抨擊金庸的文字，使我莫名其妙：「老金大約也是無奈，無論是浙江話還是廣東話都入不了文字，只好使死文字做文章，這就限制了他的語言資源，說是白話文，其實等同於文言文。」

古今並用的文字是最好的文字，中外皆然。我認為查先生的中語文字，當世無出其右！

新聞何價？——與查良鏞商榷

二〇〇〇年一月二十日

才子董橋最近與他的舊老闆查良鏞先生在新聞報道的分歧上引起風波，好不熱鬧。事緣查老不久前在浙江大學以《兩種社會中的新聞工作》為題作了講話，而董橋針對查老如下的一段話：

「解放軍負責保衛國家人民，我們新聞工作者的首要任務，同解放軍一樣，也是聽黨與政府的指揮，團結全國人民，負責保衛國家人民。我們要跟隨黨的政策，不是甘心作黨的工具，受它利用，喪失作一個誠實的新聞工作者的良心與立場，而是盡一個愛國公民的職責，保衛國家，不受外國的顛覆和侵略。」

查老認為董才子斷章取義，因為他說的是兩種不同的社會，新聞工作的目的跟着大不相同，而美國的傳媒一方面虛偽，另一方面美國「必須樹立一個假想敵」，要「摧毀全世界所有不服從美國指揮的政權與勢力，以建立全球性的美國霸權。」

我拜讀查老的全文後，有同意及不同意的地方。己見如下。

（一）我極力反對共產政制，但從來沒有反對過共產黨的存在，也不反對共產黨統

治中國。你可以信「施比受更為有福」，但做生意時卻私字當頭。鄧小平先生的改革重點，是以社會主義之名來推行私產及市場。在經濟學的邏輯上，這是沒有矛盾的——這觀點我解釋過好幾次了。今天的中國，共產政制已去如黃鶴。查老所說的兩種社會，其主要差別是貪污的或多或少而已。

查老說得對：「任何國家的反政府力量發動革命或政變，必定先佔領電台、電視站、報社。」但這是指以極權當政的國家。我可能過於樂觀，但我認為今天北京的執政者雖然掛上獨裁之名，但知道胡作非為是要下台的。我也同意「如今，中國的政權十分穩固。」既然穩固，新聞大可自由。

（二）假若中國的每個新聞工作者都像查老那樣，有自由及懂得以忠實的報道來保衛國家，那麼董才子和我就用不着那樣「勞氣」了。事實上，大陸今天的官定傳媒，還是報喜不報憂，並不忠實，而對政府大擦其鞋的，私下大有好處。擦鞋怎可以衛國呢？

另一方面，傳媒可以增加人民的知識，而這知識的增加是極為重要的。我自己見退休在即，很想在國內搞一個出版社，將餘下來的日子介紹老外的知識到中國去（在這方面我可以辦得很好）。但一查之下，在大陸開出版社是不可能的事。

（三）查老說在資本主義的社會中，新聞的話事人是老闆，是對的。他忘記說的，

是在資本主義的社會中，新聞老闆不需要是一個大資本家——每個收入僅足以餬口的人也可以是一個傳媒老闆。買一部廉價電腦（買不起可向朋友拿一部過時的廢物），自己作一些不犯法的「新聞」，以電話線傳真到全港的傳真機，一按鈕，每天二十四小時，每年三百六十五天，其電話費用每年港幣七百九十二元！紙張的費用由接收者支付。所有的廣告商都深明其理。

我不是個電腦傳真專家，不知道亂發傳真可不可以做到查不出發稿之人。若可，則再過幾年，傳真在國內普及，「衛國」之說不談也罷。

（四）我絕對同意查老所說的，美國的傳媒往往不盡不實。二十年前，我的老友高斯在一次傳媒的盛大聚會中，說了一句「惹來周身蟻」的話：「不要問傳媒哪句話是假，而要問哪句是真！」

高斯是過於誇張，但在資本主義的社會中，私營的傳媒為了賺錢，有時嘩眾取寵，而假的報道往往不能治之於法。生長在這社會中的有識之士，什麼是真，什麼有疑問，什麼擺明不盡不實，大家都心裡有數。有時看報是為知識，有時是為過癮。可以肯定的是，這種報道遠比大躍進期間，一小畝地可種出數十噸糧食的「為國家好」的消息可靠得多。

（五）我最不同意查老之處，是美國要「顛覆和侵略」中國。歷久以來，美國的傳

媒慣於「顛覆」自己的政府。尼克遜因為水門事件而要下台，克林頓的「性」新聞搞了一年多，都是傳媒的忠實所致。

我同意美國的政策是為自己的利益着想，但除了小說上的虛構外，自己的利益是不容易建立在他人的痛苦上。有誰可以賺到窮人的錢？

最近美國與中國達成的世貿協議，每一項對中國都大有好處。他們要賺我們的錢，是對的。但他們怎會不明白，要賺我們的錢就先要我們有錢給他們賺。大家都要賺，是一七七六年史密斯定下來的黃金定律；世貿談來談去就是哪方面多賺一點，哪方面少賺一點。

說真心話，在我所認識的所有美國經濟學者朋友中，沒有一個不希望中國能富強起來。他們不是有仁慈之心，而是清楚地知道中國富強對美國大有好處。

一九八八年九月，我帶佛利民去見趙紫陽，大家談得很投入。結尾時佛老說：「我要重複地說一次，中國的富強對美國大有好處。」趙老回應道：「我同意教授的話，中國的利益與美國的利益是沒有衝突的。」

新聞何價？以擦鞋來「保衛」國家，其代價實在是太大了！

周潤發登大雅之堂

二〇〇〇年一月二十七日

「東是東，西是西，雙方是永遠不會結合的。」此乃英國文豪Rudyard Kipling（一八六五——一九三六）在一個世紀前所說的名句，後來引起不少非議。我個人認為說得過於誇張，但不無道理。

是的，中西雙方的文化有很大的差別，要融合起來，或二者兼於一身，是不容易的。鬼佬學我們的國畫、書法是有的，但不客氣地說是不知所謂。我們學西洋畫較有看頭，且人多勢眾，但算是有成就的就不多了。就是在學術上，中國人能在美國或西方有一席之位的也不多見。事實上，好些大名鼎鼎的西方華人學者，其「大名」通常只大於華人之耳，老外之耳就要打一個大折扣。

我非常佩服貝聿銘。這位生於中國而在國際上賺錢的建築設計師，曾經有十多年在美國被公認為第一高手。貝氏的設計是西方的現代藝術。據我所知，像他那樣生於中而稱霸於西的，歷史上只有一個。

電影是西方發明的，其無與倫比的主要傳統，是美國的好萊塢。當然，作學生時，像今天的一些青年一樣，我崇尚法國、意大利，尤其是日本的電影。黑澤明導演的《羅生門》是東方的一個大突破。好萊塢的劣作多如天上星，而法、意、日的低成

本之作往往大有可觀，我們當年就把好萊塢低貶了。

於今回顧，我年輕時的觀點是不對的。藝術的高或低，好或壞，是不應該以低成本而加分。比方說，我的攝影或書法低劣，以照相機或毛筆不夠好為藉口，有誰會同情我？又有誰會見我有一幅絕佳的書法作品而說：「好是很好，但這只因為他有好的毛筆。」

不論成本——不應該論——好萊塢的電影製作舉世無匹。幾個月前美國選出本世紀的一百部最佳電影（當然有偏見），全部是好萊塢的。

香港的電影及影星要打進美國市場，屈指一算，已有四分之一個世紀了。李小龍的功夫使美國佬目瞪口呆，且歷久不衰；成龍近幾年在老外之邦大行其道；吳宇森的打打殺殺，看來過癮，在美國也大有市場。然而，上述這些我從來沒有在鬼佬的刊物上看到演技的評述。香港片是以動作知名的。娛樂與藝術是兩回事。

不要低估我們的本領。談演技，十多年來香港及中國出現過好幾個傑出的演員。《霸王別姬》中的張國榮演得很有水平，但老外認為是外國影片，不是好萊塢的主流；《末代皇帝》中的尊龍也有水平，但演出的分量不重，而該影片的重點是刻劃一個大時代，末代皇帝只是這時代中的一個角色。

周潤發最近演出的《安娜與國王》是以他（國王）和一個英國女教師為中心人

物，演技略遜就會被觀眾罵個不休。這部電影是好萊塢的舊傳統，沒有什麼眩人耳目的先進科技。影片是一個大製作，基於一個家傳戶曉的名故事。更重要的是，女主角竟然是Jodie Foster，一個曾經兩獲最佳女主角金像獎的超級明星。

國王與女教師的故事，要純以演技取勝。除了去年有一套劣質的卡通片外，之前拍過兩套獲獎無數的經典之作。其一是一九四六年Rex Harrison與Irene Dunne的合作，其二是一九五六年Yul Brynner與Deborah Kerr的精品。這四位都是當時的超級巨星。

一九四六年的獲幾項金像獎（是哪幾項記不起了）；一九五六年所獲的獎，包括最佳電影和最佳男主角。有這樣的兩部名片在前，再重拍可說是膽大包天。

我認為周潤發與Jodie Foster都有水準演出，而周氏的演出更令我喜出望外。看《安娜與國王》時我在美國度聖誕，因而讀了不少那裡的影評。一般的評論，是此片與四六年及五六年的相比略遜，也有認為可以平排的。男女主角都一致地有好評，但更一致的是周潤發比Foster還要演得好。周氏以此片而登大雅之堂，是沒有疑問的吧。

有評論者批評周潤發的英語發音，是低級的評論了。英語不帶東方口音，演一個東方國王豈不是不倫不類？我要批評的倒是Foster的發音。作為一個一八六二年的英國女教師，怎可以是美國口音的？

選周潤發扮演一個懂得談情的國王實在恰當。我們可以說周氏時來運到，也可以說美國佬夠眼光。周氏長得夠高大，而經過那麼多年在銀幕上打打殺殺，不打不殺時站起來有王者之風。另一方面，可能是天生使然吧，他談起情來卻又柔情似水。

我歷來認為中國（包括香港）的電影演員演得過於舞臺化，表情及動作都過於誇張，很有點做作。好萊塢的傳統，是電影與舞臺很不一樣。以電影而論，最佳的演技是不像在演戲的。在《安娜與國王》一片中，周潤發庶乎近焉。

我也認為周氏應該放棄他以前的戲路，在好萊塢找些適合自己而又重視演技的劇本下注。他既然登了大雅之堂，何愁沒有片商打他的主意？要是賺錢少一點，就少一點算了。

北望神州

風雨時代的鈔票

一九九九年七月二十三日

話說在揚州我花盡身上帶着的錢，向地攤小販購入了千多張舊鈔票。這些鈔票最早是一九一〇，最遲是一九五三（共產當道矣）。四十多年的風風雨雨，不堪回首，可泣而不可歌也。

回家後我花了一整晚審閱這批舊鈔，覺得有趣或不明所以的地方不少。茲僅選八項以饗讀者：

㈠我找到四張一九三四年發行的壹圓鈔票，被一個膠印掩蓋着「中國農工銀行」，而在其下補加「中央銀行」，鈔票兩面的中、英二文皆如此蓋上，四張一樣。泱泱大國，主要銀行改名也懶得重印，其馬虎溢於票上，可謂奇觀。

㈡千多張舊鈔中只有三張差不多是全新的，皆由「美商北京花旗銀行」發行，紙質一流，印刷精美。五元及十元的是一九一〇年，一元那一張是一九一九年。奇哉怪也的是，三張鈔票都是在橫中切斷，切得整齊，然後用兩張同值的鈔票的上半部以膠水黏成一張。這樣，鈔票上下如倒影，只是號碼上下不同！

因為鈔票極新，而上下以膠水相連又造得天衣無縫，顯然不是出自今天小販之手。我想來想去，一個解釋是發行者不想持鈔者看到原來鈔票的下半部，而鈔票看來

是在美國印製，所以一時間趕不及重印。但為什麼一九一〇與一九一九的皆如此？

（三）有十多張一九三〇年由廣東省銀行發行的鈔票，印上「銀毫券」之名，且說明「憑券兌換銀毫」。這擺明是以銀為本位，以銀作保障來增加信心。問題是，一個大的銀毫可以變小，而銀的分量下降仍可叫作銀毫。所以銀行若要出術，或與政府串謀欺騙，易如反掌也。

我看這些銀毫券的第一個反應：是騙局！真誠的銀行發銀本位券，怎會不說明純銀的重量？

（四）更大的騙局是那大名鼎鼎的「關金」了。當然由中央銀行發行，我手上有的最早是一九三〇，最後是一九四八。

關金是以金為本位，一元說明是一個金單位，十元是十個金單位。後來貶值，鈔碼越來越高，五萬元就說明是五萬個金單位。沒有說明的，是一個金單位究竟是多少金。更過癮的是，在整張中文的鈔票中，「金單位」（Gold Unit）卻用英語。

這個明顯的騙局，在中國竟然大搖大擺地施行了起碼十九年。要是今天任老弟志剛出這一招，香港人不把他殺了才怪！炎黃子孫畢竟是學精了。

（語曾、任二兄：為什麼香港今天的鈔票不印明七點八元兌一美元？雖然要經發鈔銀行去兌換，但這是事實，而金管局沒有意圖行騙。說明了可增加信心，但要改兌換

率時則要發行另一種鈔票，比較複雜了。）

（五）找到二、三十年代好幾家私營錢莊——如「陸宜和」、「黃山館德泰昶」之類——發行的鈔票，顯然是清代遺留下來的「冇王管」的自由貨幣制，到了民國就與政府爭食的。海耶克生時極力提倡的自由發鈔制度，在中國早已存在。我想，在太平盛世，如清康熙至乾隆的百多年間，這種自由銀行（錢莊）制應該有很理想的運作。我又想，今天數以千計的中國年青經濟學者，怎可以放過這個絕對是一級的研究題材？

我手頭上有的十多張錢莊鈔票，有些如合約，有些如憑單，有些則像政府發行的鈔票一樣。一張鈔票其實是一張合約——我在三十年前就說過了。民國時期的錢莊鈔票，有以一串銅錢為本位的，稱為「一吊」，也有以政府騙人的「大洋」為本位的。政府行騙，一些錢莊也就樂得同流合污，過癮一下。

（六）找到兩張有毛澤東肖像的鈔票，都是五百元的。東北銀行的是一九四七，長城銀行的是一九四八，二者皆印上中華民國的年號，此一奇也；鈔票上沒有說明任何保障，此二奇也。想當年，老毛靠打游擊得天下，所以自製的鈔票也「不拘小節」。但當時市場信不信，通用不通用，則有待考究矣。

（七）中國人民銀行發行的鈔票，一九四八及一些一九四九的用上中華民國的年號，但一些一九四九的已改用公元年號，此後就淘汰了「中華民國」。

奇怪，一九五〇年至一九五三年間，人民銀行發行的好些票額很大——五千到五萬元——應該不是人民幣。但舊鈔中有一張一九五二年的支票，說明是人民幣四萬五千元。那在當時是很大的數目了。

（八）我對鈔票上的「公仔」肖像很有興趣。用人物肖像的目的，顯然是要增加市場對鈔票的信心。一間名為「中國聯合準備銀行」所用的肖像，可能因為當時的政治形勢，都是中國古時的聖賢豪傑。這家銀行起錯了名，意頭大為不妙。準備與儲備不同。銀行要的是儲備（reserve），非準備（preparatory）也。銀行有什麼要「準備」的？準備執笠乎？果然，我所有的多張「中國聯合準備銀行」的鈔票，都是中華民國二十七年（一九三八）。眾多聖賢也救它不了！

一張一九二七年中南銀行發行的鈔票，竟然用慈禧太后的肖像，這銀行若非與慈禧的後人有關，其思維有點問題。

你道在那風風雨雨的四十多年中，中國鈔票上誰的肖像出現最多？無與倫比的冠軍，是孫中山。孫某本領平平，但被稱為「國父」。既為國父，就是死後也要付出一點代價。凡是通脹急劇，鈔票貶值如石沉大海的人物肖像，都是孫中山。那搞笑的「關金」，其肖像當然也是孫中山。

可以這樣說吧：凡是大騙局鈔票上有肖像的，皆國父也。天可憐見！

上海勢將超越香港

一九九九年八月六日

曾幾何時——大約是七年前吧——我推斷上海若不開放金融及取消匯管，要追上香港遙遙無期。我當時又說，就是上海搞大開放，要勝香港並不容易；充其量大家平分天下，上海賺長江一帶的錢，香港賺珠江三角洲一帶的錢。一個國家有兩個天之驕子，不為多也。

然而，最近六、七年的發展，使我改變了主意。我現在認為上海超越香港，指日可待。如下的轉變是我七年前沒有想到的。

（一）廣東省對外資的處理，變得一塌糊塗，讓蘇浙比下去了。九二年之前，廣東省引進外資遠勝蘇浙，但其後就節節敗退。今天，美國《財富雜誌》所排列的前百名世界大機構，過半已在上海一帶下注，而廣東則乏善足陳。

這其中的一個重要決定因素，是廣東的地方政府出爾反爾，收費數之不盡，就是郵遞也要收費。另一方面，以昆山為範的上海一帶，政府言而有信。可以這樣看吧：兩地最簡單而又有說服力的比較，是東莞比昆山。任何對工業投資環境有認識的人，都會同意這二者在今天是不可以相提而並論的。

香港政府目前要大搞高科技，但美國的微軟在幾年前已開始在上海大展拳腳。難

道蓋茨在高科技上的生意眼，比不過我們的田長霖？

（二）我們一向都知道上海人手工好，態度認真。最近我在上海看到美國通用汽車公司在浦東所出的新產品，親自駕駛過兩分鐘，並審查過一下那部分是進口、那部分是在中國製造（據說目前中國所造的是車價之百分之四十強）。我的評價是：上海通用所產的汽車，質量勝台灣，而廣東是造不出來的。

通用公司目前的主要困難，是進口的部分抽稅重，而其他稅項也不輕，以至車價（人民幣三十七萬）比美國的同型車高出百分之九十——加上質量調整，是高出一倍以上了。這是政府作繭自縛的問題，是舊一套的不知所謂的經濟思想。希望中國當局知道經濟要從整體看，能早日思想現代化。

（三）上海在質量上與香港相若的衣、食、住、服務等，其價格大約是香港的四分之一。七年前因為質量的不同，價格的比較不易。今天，其四倍的差距是極為明顯的。

香港最大的競爭困難，是上海的青年。因為中國再不搞什麼「思想教育」，近幾年那裡數之不盡的優質學生學得很快。無論中、英、電腦、金融、普通常識，皆非吳下阿蒙矣！這是中國之幸。上海若搞大開放，讓這些青年各展所長，香港怎麼辦？

（四）我們的財政司可能忽略的是，香港與上海雖然時間相同，但那裏的太陽早出

一個小時。美國三藩市搞股市搞來搞去也搞不起，因為紐約的太陽早出三個小時。先開市有決定性。如果上海大手開放金融、財務，總會有人在那裡買賣香港的股票，開市比香港的聯交所早一個小時，怎麼辦？

（五）上海及蘇浙一帶的公路，近幾年興建不僅快，而且很有水平。上海到南京的公路，竟然有美國的水平（上海到南京兩個半小時，到蘇州不到一個小時）。上海到杭州的公路也建成了。（最近一位朋友從上海去杭州只為了吃午餐——是個半小時的車程。）

香港鄰近，除了廣州，沒有南京、揚州、常州、無錫、蘇州、杭州等名城。交通、電訊等暢通無阻，價格低廉，無論是做生意或是週末散心，香港要競爭的是我們這一帶對他們的那一帶。這一着我們是輸定了的。

（六）香港最後一個重大困難，是市場不相信我們的聯繫匯率肯定不變。這樣，香港的利率在可見的將來不會大幅度地低於美國。匯率不變，我們的物價是要向下調整的——這通縮會有很長的時間。美國的通脹率大約每年三釐，香港大約通縮每年四釐，所差是七釐之巨。要是市場對聯繫匯率信心十足，香港今天的優惠利率應該是每年一釐左右。目前我們的真實利率（利率加通縮率）近於十二釐。在這樣的情況下，有什麼生意可做是一回事，市民的一般消費是不可能回復到近於回歸前的水平的。

在大嶼山搞個狄士尼樂園，再加一個拉斯維加斯，大量增加遊客有點幫助，但這幫助不會很大。

我認為中國若在金融、財務上堅持他們今天的保守政策，香港再不濟，上海也不容易超前。但若中國大手開放，香港要與上海平分天下就不可能了。只要開放金融（這包括取消匯管），上海超越香港應該是十年以內的事。

我們不要靠中國的「保守」，不應該希望他們不懂得怎樣開放，而讓自己有個機會苟延殘喘。幸災樂禍的生意，從來都做不過。上海的商業大廈林立，空空如也，他們總會被迫而開放金融的。金融財務這個行業，對商業大廈的需求最大。

我們的政府不要以為入市賺了錢，有點運氣就誇誇其談，更不要靠那些市場商人在香港避之則吉的什麼高科技、中藥港之類來挽救我們的經濟。大合唱的唱好只能有短暫的效果——這是毛澤東發明的，但因為短暫，老毛轉換了很多支歌，到後來聽眾沒有三幾個。

香港政府要做的，有五件事。

一、要設法增加市場對聯繫匯率的信心，使利率大幅下降；若不成，就要考慮推行另一種貨幣制度。

二、大量削減政府開支：公務員及我們作教師的皆要減薪，福利供應更要大量削減。

三、真正的實行司法獨立。

四、取消快要施行的強迫公積金制。

五、找廣東省的頭頭坐下來，大家喝醉後拍案大罵，然後商量怎樣合作及整理廣東的經濟。

人民幣需要貶值嗎？

一九九九年九月十日

今天人民幣的灰市或黑市匯率，低於官價大約百分之八。這樣，久不久輿論就會説人民幣快要貶值了——其官價快要貶值了。一唱起來，興風作浪，人民幣在灰黑的市場上總要下跌幾個百分點。你聽説人民幣快要貶值，會大手購入來過癮一下嗎？

但假若中國取消所有外匯管制，取消官價，讓匯率自由浮動，你説人民幣的幣值會上升還是會下降？你當然賭會下降。你敢跟我賭一手嗎？

我不敢説解除所有匯管人民幣一定會升值，但要賭貶值我就不敢下注。二十多年前台灣解除大部分匯管後，台幣升得很強勁。理由簡單不過，在有匯管的情況下，外資望門卻步，而內資會設法往外溜。這二者對幣值有損無益。

試想想吧。有匯管，外資把錢搬到中國去，要再搬出來可不容易。因此，投資到中國的意圖就減少了。少了外資進口，就等於少了貨品出口，對人民幣大有貶意。但這只是匯管對人民幣增加壓力的一部分——可能是比較小的一部分。

更重要的是，在匯管下，外資到中國做生意，會遇上數之不盡的麻煩。要開個人民幣銀行戶口，手續之複雜令人難以置信。要兑換人民幣，老外當然不敢輕舉妄動。以官價兑換容易，但要以官價換回外幣則有限制，也需要文件證明。就是外資可自由

用官價買賣人民幣，一旦政府宣布貶值豈不是中了計？

諸如此類的例子多的是，而這些加起來對外資進口的意圖是有很大的不良影響的。取消所有匯管，外資進口對人民幣的需求會有大幅度的增加，而這增加可能足以彌補今天官價及黑市匯率的差額而有餘。台灣當年的經驗是「有餘」很多的。

見到人民幣的灰、黑市匯率低於官價，就認為若取消匯管會導致人民幣貶值，是淺見。經濟上的問題，我們不能局部看。我們不能單看人民幣的黑市低於官價，就認為解除匯管後，人民幣的自由匯率會向黑市那方面走。

轉到另一個題材上去吧。如果中國大事開放金融，你說人民幣會貶值還是會升值？我的注碼是賭會升值的。你可能想，開放金融後，美國的大股票經紀行到中國去做生意，向中國的投資者推銷美國股票，豈不是會推低人民幣？

但想清楚一點，這些舉世知名的經紀行，若到中國去開業，有三個使人民幣升值的因素。其一，這行業對商業樓宇的需求甚大，加上其他投資，對人民幣的需求增加不少。其二，老外經紀會迫使中國改良現有的股票制度及可靠性，引進外地的可取之處。如此一來，外資到中國設廠，大可上市而在外地推銷也。其三，中國本身的股票，經老外經紀在外地推銷，當如有神助。

解除匯管是開放金融最重要的第一步。金融開放後，外資銀行到那裡大展拳腳，

對人民幣的支持就更有力了。目前，中國算不上是真的有商業銀行。有實力的投資者可在外地借錢，或以自己的盈餘到中國下注。但假若金融開放後外資銀行以外間的資金借給較小的在中國的投資者，以本地的資產抵押，小商人豈不蜂擁而至？

又再轉到另一個話題去吧。假若中國取消所有出入口關稅，實行自由貿易，你說人民幣值會升還是降？經濟學高級課本的答案是：很難說！這是有關需求及供應彈性的複雜問題，其數學方程式大約六寸長。但假若中國對美國說：大家一起取消所有貿易關稅吧！美國怎樣回應呢？（世貿之爭，是老外認為中國不夠開放，而朱老闆竟然說中國讓步讓得太多。）假若美國同意，就中了計。自由貿易，數以億計的以刻苦耐勞而知名於世的廉價勞動人口，怎可能鬥不過老外？

是的，多年以來，我就有這樣的一個信念：中國人的競爭能力非同小可，只要給他們一個自由競爭的機會，大殺三方應該沒有問題。香港的困境是我們的工資、房價、物價等比中國大陸的高出四倍以上，而本領卻高不出那麼多。

是的，從競爭的角度看，我認為中國大陸的本領比香港高得多了。在這大轉變的時代中，舉世之大，競爭能勝券在握的國家不及一掌之數。高科技的發展，美國無與倫比，此其一也。高檔產品價廉物美，日本名列前茅，此其二也。中檔及大眾化產品的前途，非中國莫屬，此其三也。

既然自己有一技之長，就無需作繭自縛，見自己的幣值被黑市炒下去就畏首畏尾。解除匯管，開放金融，大事推行自由貿易，才可以表演一下自己的真功夫！

假若中國能做到上述的「解除」、「開放」、「自由」，我願意十博一賭人民幣會升值。在這些有利條件下，唯一可使人民幣貶值的，是通脹捲土重來。然而，從近代歷史的角度看，中國治通脹的本領很有兩手。

北京當局既不應該，也不需要考慮把人民幣貶值的。他們的當務之急，是製造能發揮自己競爭潛力的局限條件。

佛利民與中國

一九九九年十月一日

去年佛利民與太太蘿絲出版了他們的自傳，洋洋六百六十頁，內容五百八十九頁。其中最長的一章是關於中國的，佔五十三頁。這大概是整本書十一分之一的篇幅。比起他倆談東歐（十一頁），以色列（十一頁），智利（十二頁），就是把佛老作為大英雄的日本（三頁）等國家，中國的分量顯然重得多了。

在我認識的當代的經濟學大師的心目中，中國的確很重要。毋庸諱言，這些高人有點「種族歧視」。他們認為中國人是一個優秀的民族，對我們的文化讚口不絕。然而，他們又認為，中國近二百年來的不濟，是人類的悲劇。所以當他們見到自八一年起中國大事改革，無不喜上眉梢。另一方面，他們又擔心中國的改革改得不湯不水，或者半途而廢，所以他們對中國的關懷，溢於言表，是不難明白的。

這些經濟學大師對中國的關心，沒有人比我知得更清楚。是他們在八十年代初期勸我回港任職，把新興的產權及交易費用的學說介紹到中國去。這個「任務」我算是做得不錯的。

自八十年代中期起，每次我到北美去開會議，遇到上述的學者朋友，總是因為他們對中國的關懷而要向他們細說中國的發展。最近我到溫哥華去參加「飄利年山」聚

會，只能在那裏勾留幾個小時，佛利民及艾智仁等人見到我，就要我跟他們離開會場，找個安靜的地方細談一下關於中國的事。

二十年來中國的改革，佛老的影響是可以肯定的，雖然究竟有多大很難說。今天在中國，老外經濟學者最負盛名的，首推佛利民及高斯，其次是艾智仁及H. Demsetz。這些都是經濟制度運作的專家。其他絕頂高手如森穆遜（P. A. Samuelson）、阿羅（K. Arrow）、貝加（G. Becker）等人，就沒有那樣大的影響力了。

佛老的條件比我們都優勝。其一，他的確大名鼎鼎，正所謂如雷貫耳。中國人是崇拜英雄的。有一次，是一九八八年吧，我和佛老在無錫行得倦了，坐在一間破舊的茶寮休息。一個年青人認出我是誰，跑過來恭敬萬分，對我說了好些仰慕的話。我等他說完，就介紹身旁的佛老給他，說：「這位先生是弗里德曼。」那青年站不穩，要我扶着才不倒到地上去。

其二，佛老永遠喜歡深入淺出，其言論與觀點清楚絕倫。你懂不懂經濟沒有關係，但總知道他是說什麼。好些行家認為，佛老在口才上的清楚明確，本世紀無出其右。其三，佛老對世事的觀點，一確定下來就如鐵鑄那樣的。認識了他三十多年，我沒有聽過他說半句言不由衷的話。只要你知道他的品性，與他交個朋友是很容易的。

一九八八年的一個晚上，在蘇州，市長及一些官員跟我們進晚餐。席上市長大談國營企業的大有可為，我們當然不同意，友善地辯論了許久。到最後，為了「友誼萬歲」，我說幾句大家看法不同之類的客套話。佛老不懂中語，但猜測到我的意思，說：「史提芬呀，靈魂有價，不要把你的靈魂賤沽出去！」

佛老到過中國三次：一九八〇、八八、九三。前者我還在美國；八八年我帶他夫婦漫遊江南，然後到北京會見趙紫陽；九三年一群仰慕佛老的朋友跟着我們先到四川，到北京後會見江澤民時只有佛老夫婦及我和太太。

八八年與趙老的會面，是歷史性的。安橋老弟也在座，算是他的造化。有機會我會詳細地把整件事寫出來，好叫將來的歷史學者有一個完整的檔案。

會見趙老前，漫遊江南之際，我給佛老上了幾天關於中國發展的課。而在途中的車程上，佛老和我研討他寫給趙紫陽的建議書，既有意思，也有挑戰性。（這建議書與後來佛、趙對話的全文，都記載在前文提到的自傳的附錄中。）

佛趙二老兩個多小時的會面，比我們事前所能想像的好。我個人的感受是：二老互相欣賞，大有相見恨晚之概。別時趙老親自送我們走出三個廳堂，直到湖邊，向我們解釋哪一個是中海，哪一個是南海，然後親自替我們開車門才送別。因為趙老從來沒有這樣對待外賓，南海旁的惜別只過了一個晚上就傳遍了北京的關心人士。

佛老實在喜歡趙紫陽。在該年（一九八八）寄給朋友的聖誕信中，他將大部分的篇幅用作述說中國之行，而其中稱讚趙紫陽的話寫得很重。他說自己周遊列國半個世紀，會見過國家元首之類的人物無數，但從來沒有見過一個領導人像趙老那樣客觀於分析，誠懇於意圖，及明確於表達。

趙老對佛老的觀感怎樣，我不大清楚，但差不多可以肯定的是，八八年十月佛老別後，趙老大事推行放開價格之舉，是受到佛老的影響的。他們會面時唯一的爭議，是佛老主張立刻廢除外匯管制，而趙老同意匯管要取消，但應該在放開國內所有價格管制後才施行。

八八年四月間在北戴河決定的放開價格，有鄧小平的支持也搞得頭破血流；十月後趙老獨力推行「放開」，敗多勝少是意中事。更不幸的，是香港的一些不知就裡的刊物說我和佛老要搞什麼「倒鄧保趙」，與趙老有什麼串謀等，胡說八道說得有聲有色。推行放開價格與倒鄧論加起來應該是趙老在六四後要下台的主要原因。

八八年十月到今天，十一年過去了。想不到，當年大家認為而又同意必須盡快廢除的匯管，今天仍然存在。悲乎！

給中國十個經濟建議

一九九九年十月二十二日

自鄧小平在九二年初南下之後，中國大約有兩年多的大好時光。但九三年起通脹轉劇，朱鎔基在該年中接管人民銀行，到九五年末，就變作通縮，經濟跟着一蹶不振。今天，好些北京的專家朋友認為中國的情況嚴峻，是存亡之秋也。

幾個月前我在《信報》發表了《一籮小問題是大問題》，說中國目今的問題很多，但都不難解決。十多年前有兩個大問題，解決不易。其一是私產當時不容易被接受，要靠「承包制」那種「有中國特色的社會主義」來間接地搞私產；其二是特權分子不肯放棄他們的權益。今天，私產來得名正言順，而特權利益雖然還有的是，但日漸式微下，要剷除再沒有昔日那樣困難。

現在這裡提出十個建議，全部都是我以前提及過的。知之甚易，行之不難，問題就是北京當局有沒有膽那樣做。這些建議可不是我發明的。它們都有歷史經驗的支持，從不出錯，實在可行。

（一）人民銀行只專於中央銀行的職責，不借貸，不收存款。中國要辦真正的中央銀行，主要任務是控制貨幣的發行量，而在目前的中國，單是控制鈔票發行量就足夠。每年人民幣鈔票發行量的升幅，規限在百分之十五左右，其他的什麼也不要管。

完全不管利率的浮動，不借錢給其他銀行——不要學美國聯邦儲備銀行那樣複雜。若通縮依舊，就增加鈔票的發行量；若通脹復甦，就減少。人民幣鈔票是中國目前的唯一「銀根」，中央銀行只管銀根，什麼也不要管。要記着，每年百分之三以下的通脹，比通縮對經濟有利。

（二）除中央銀行外，把所有國營銀行都賣出去作為商業銀行。這些銀行目前大約有百分之二十的壞帳，把壞帳一起賣出算了。因為中國的經濟在基本上大有可為，就是有壞帳問津者應該還不少。要選在國際上有地位的銀行買家，但千萬不要管制銀行的牌照數量。只要有分量，就可以買或自設銀行。當然，政府要協助追討壞帳，也要搞好按揭、破產等法律。

（三）容許所有外國貨幣在中國流通。這會減少市場的交易費用，而歷史上沒見過因為有外幣流通而使本土幣貶值的。（今天在香港外幣大可流通，而在亞洲金融風暴之際，沒有誰建議廢除外幣流通的法例。）

（四）取消所有外匯管制，讓人民幣的匯率自由浮動。所有因為匯管而設的——直接或間接的——其他管制都要一起廢除。

（五）容許外資在中國開辦任何金融事業。股票經紀行、會計行、招股、集資、放款、投資顧問之類，可放盡放。

（六）取消所有關於通訊（如電話）的發牌量的管制。這點重要，因為在先進科技下的通訊，神乎其技，可以大幅度地減低市場的交易費用。今天，香港打長途電話到上海的費用，大約比打到美國高七倍；而打電話到深圳，竟然比打到美國高兩倍多！這是說不通的。

（七）取消所有出入口關稅。毒品進口不妨嚴禁；其他的物品就要學香港。但不要學香港那樣重加煙、酒、汽車稅。

（八）將所有國營企業私產化。賣出去是一個辦法。但若要照顧國營企業的員工，不妨把企業股份化，送給員工，而股份一定要有自由轉讓權。國家政府可以估計企業的資產淨值，每年抽百分之二左右的利率稅。其他所得稅是另一回事。

（九）稅制要簡單。個人收入及生意所得稅，百分之十至十五就足夠。此外，不用抽差餉，但在物業上，可按物業所值的估價每年抽百分之一的物業稅。此外，任何其他稅項也沒有。在簡化稅制及低化稅率的同時，中國要大量削減幹部，選賢與能，大幅度地提升留下來的幹部的薪酬。

（十）不管外匯儲備的多或少。只要經濟搞得頭頭是道，外匯儲備是可有可無的。有誰提及美國的外匯儲備是多少？只有像香港、台灣那樣的小經濟，或那些不成氣候的大經濟，才要論什麼外匯儲備的。要記着，一個經濟搞得強勁，自己發行的鈔票就

是儲備；搞得一塌糊塗，什麼儲備也保不了。

政府要搞什麼基建，什麼軍備，抽簡單而低的稅，加上賣地及賣國營企業所得，應該足夠而有餘。我可以肯定，若中國推行上述的簡單的低稅制，其稅務的總收入會比現在的高得多。可以收到手的、真實所得的百分之十，比差不多是完全收不到的百分之五十，可取得多了。

上文提到的十個建議，只是以一個整數下筆。當然還有其他的，如法治的改進等。篇幅所限，不能多說了。

讓我在結尾再說一次。我提出的建議不是我發明的。歷史的經驗證實可行。重要的是有膽推行，也要一整套推出。記着，凡事要簡單處理。經濟政策從來都是以簡單清楚為上。世界複雜，政策不夠簡單處理不了。更何況，政策一旦複雜化，官商勾結，混水摸魚，是無可避免的。

北京行

一九九九年十月二十九日

因為進入了半退休狀態，多點時間做校外的事，今年開始我就答應了好些大學去講話——國內所說的作報告。前些時去了武漢的華中理工學院及武漢大學作過兩次講話，一個座談。這兩次講話的錄音被整理後發表在《經濟學消息報》上，獲得頗大的反響。後來我找到這兩份發表的原文，很滿意，也使我意識到今天大陸的學子，其理解能力明顯地在我們港大的學子之上。

到北京作講話，只有四天時間。我見婉卻了那麼多年，就可接盡接，結果在四天之內作了三次座談，五次演講。我作演講是從來不用作準備的，但講前要很鬆弛，腦中要一片空白，才可以講得好像是準備了的。所以在北京每天我早睡晏起。話雖如此，四天之內講八次話——其中一天講三次——自己從來沒有試過。全力以赴，講來不過不失也算是不錯了。

北京的講話，比不上武漢的。主要原因可能不是過於頻密，而是北京交通擠塞，動不動就是一個小時不安寧的車程，使我的腦子不能靜下來。

十月十日晚抵北京，十一日早上起來先要做兩件事。第一是要到永玉的萬荷堂欣賞一下；第二是要趕到故宮去參觀五十周年所展出的中國古書畫精品。

永玉自己精心製作的萬荷堂，有口皆碑，他曾經邀請我到那裡小住好幾次了。果然名不虛傳。是很大的地方，大概有六、七座仿古的建築物——凡建築、家具、陳列，就是植物的品種皆古。我雖然對中國古代的文化有點研究，但比起永玉就簡直是小巫見大巫。他怎樣説，我就怎樣聽。可惜只能在那裡勾留了兩個小時。總有一天我會去小住，細心地研究一下。

趕到故宮，竟然找來找去也找不到精品展出的地方！真的莫名其妙。這樣重要的展出，卻沒有告示指引，而問了幾個工作人員，竟然沒有一個知道。秋高氣爽，我們三個人在故宮內東奔西跑，身水身汗，終於還是找到了。果然是精品，王珣的《伯遠帖》，李白的《上陽臺》，歷歷在目，而展場中只有三幾個人，使我覺得是進入了一個奇異的世界。

在展覽場內只能欣賞半個小時，就要趕到新華基金作座談。談的當然是關於近今中國的經濟發展。在座的都是該基金的年青職員，知識水平很高，但他們跟後來我遇到的其他青年一樣，答錯了我提出的一個問題。

我問：假如今天中國廢除外匯及有關的管制，人民幣會升值還是貶值呢？他們都答會貶值。答錯了。但當我繼續問：假如今天香港政府宣佈下個月會實施外匯管制，香港的外資會增加還是會跑掉？他們都説會跑掉。答對了。我再問：那麼為什麼你們

説廢除匯管人民幣會貶值呢？他們無言以對。

十二日正式「開波」，上午先到人民大學進午餐，跟着的講題是《不要把中國人小看了》。不是學術性的，內容是説中國人不僅刻苦耐勞，工資低廉，而近幾年來中國的青年學得很快，連知識及天分的價格也相宜之極，參加國際上的生產貿易競爭，是不需要任何政府的保護的。事實上，保護縛手縛腳，與老外競爭起來諸多不便，凶多吉少也。雖然那些所謂「保護」是維護特權利益，但無可避免的印象是小看了自己中國人。

下午五時轉到北京大學，晚餐後的講題是《高斯定律的謬誤》。這個及後來的三個講題都是學術性的，是自己數十年來從學術生涯中所得的一點收穫，天天想，想了數十年，當然是駕輕就熟了。

十三日早上先到天則研究所座談。這是個很有分量的研究所。他們要搞一個「中華新制度經濟學會」，出一些刊物，請我作名譽會長。我對名譽沒有興趣，推卻了，但我很欣賞他們的意圖，所以答應了會盡可能多給他們的刊物寫文章。

是的，今天中國的經濟學發展，六十年代我和高斯等幾個人搞出來的、今天被稱為「新制度經濟學」的大行其道。這就是關於產權及交易費用的研究。因為這門學問在中國很風行，而天則的人材有的是，這學會是會辦得很好的。

中午到北京師大進午餐，跟着的講題是《快要失傳的價格理論》，內容我曾在《壹週刊》發表過。晚上到清華大學，晚餐後的講題是《經濟解釋》，那是涉及科學的方法了。

最後一天，十四日，早上與幾位國務院的朋友座談，說的是中國目前的經濟困境。到機場的途上在中國社會科學院進午餐，跟着的講題是《交易費用與經濟效益》，是自己發明的一些觀點。

這次北京之行，有四點要寫下來的。第一，最重要的，是北京的學生真的很了不起。我想，要是四十年前這些學生有我的際遇，在美國得到大師指導，我怎樣也比他們不過。第二，五間大學請我吃的午餐或晚餐，其食品水平遠超香港的所有大學。其三，首兩次演說我用英語，到了第三次，翻譯的青年學者翻了十多分鐘後，突然說：「我要請張教授用普通話講，他講得不對我從旁協助。」我沒有他的辦法，於是逼着試用普通話。這是我平生第一次以普通話演說，餘下來的其他兩個演說都是用普通話，雖然說得一塌糊塗，但對我來說是一項偉大的成就了。

最後一點是在五間名校的講話，座無虛設，而站着的人多的是。這種破紀錄的英雄式的接待，主要是因為我十五年前出版的《賣桔者言》。據說這本舊作在國內曾經有手抄本。八八年在四川再版時被抽起了一些比較敏感的文章，三萬二千本一下子賣

光，逢六四事件，被禁，但影印本廣泛流傳。

香港的學者，是要多用中文寫些有教育性的文章吧。

再對中國審慎樂觀

一九九九年十一月二十五日

一九八一年，我寫了《中國會走向「資本主義」的道路嗎？》那本小書的初稿，斷言中國會放棄大鍋飯而轉向私產及市場的發展。此稿寄給行內的朋友閱讀，不同意的人不計其數。只有高斯認為我很可能對。巴賽爾認為我的理論天衣無縫，但結論難以置信。佛利民呢？他認為我是世界上對中國的前途看得最樂觀的人。

我硬着頭皮送該稿到英國發表，頗暢銷，但讀者大都認為我是作白日夢。三年之後——一九八四年——我對中國的推斷不差毫釐地發生了，好像是預先把中國的經改歷史寫了出來。識者嘩然。

然而，中國的問題很複雜，更樂觀也要有點保留。我於是在一九八五年發表了《我對中國審慎樂觀的原因》，澄清一下自己的觀點。

一九九三年，我見中國的經改功虧一簣，裹足不前，就擔心起來了。但那時通脹急劇，要治理。這「治理」來得很有一手，只兩年通脹率下降至零；跟着就變為通縮，經濟一蹶不振。數之不盡的法例左管右管，說不通的瑣事無日無之。大貪污日漸式微，但小貪污卻變為例行公事。是的，近幾年來，中國的經濟改革失去了方向，忽左忽右，我不由得悲觀起來了。

十一月十五日北京公佈了中美達成協議，讓中國加入世界貿易組織的消息。晚上鄭大班給我電話，邀請我在十六日早上為世貿之事作電話訪問。我一口推卻，因為我完全不知道協議的內容，無話可說。十六日早上，協議內容的大概見報了，我讀了幾遍也不覺得有什麼重大的突破，更何況我期待已久的解除外匯管制，隻字不提。我很有點失望。

同日下午，廣州的劉曉虹到港大，訪問我對中國參加世貿的看法，可能又是要替《經濟學消息報》寫文章。我對她說：「你來得正好，因為我在報章上不明白世貿協議的重點，你比我知得多，可否解釋一下？但我還有五分鐘就要上兩個小時的課，另外安排一個時間可以嗎？」

大家商量時間安排之際，曉虹說：「今天早上中國的金融、汽車、通訊這三類股票大跌！」她有點憂形於色。我一聽，就站起來，說：「你跟我到課室去吧。事情重要，我要你在學生面前跟我談兩個小時關於中國世貿協議的事。」

不要誤會，我不是幸災樂禍，但我認為金融、汽車、通訊這三類股票在中國暴跌，是一項在經改失卻了方向的情況下的好消息。這消息有三個重要的含意。

其一是世貿協議的內容，公佈前顯然沒有外洩，或走漏了消息。含意是，中國官方高層的貪污情況的確有了改進。其二，國內的股市庄家，對世貿協議的闡釋應該比

我們外人知得清楚。他們顯然認為世貿協議不是得個「講」字，而是有質有量，足以影響中國的經濟發展。

其三——這是最重要的——就是暴跌的三類股票的機構，歷來都是受到中央的保護，有壟斷權，是受到政府維護的特權利益。世貿協議最重要的內容，顯然是說中央再不維護特權了。這是我期望了十八年的事。看來中國的經改又找到了正確的方向。

話得說回來，我認為三類股票暴跌，金融那一類是過於敏感的。要是今天國營的金融行業知所適從，他們的翻身機會有的是。

曉虹聰明，對中國的事知得很多，所以在世貿協議的闡釋上她是老老實實地給我和我的學生上了一課。她的不足之處，就是相信古老相傳的自供自給的二百五十年前的歐洲謬論，認為若不夠多元化，弱點盡露，有什麼東窗事發，怎麼辦？

我的觀點，是讓他人賺錢的供應最可靠，而若是他國禁運制裁，走私的費用數千年來都是那麼低，何足懼哉？貿易互相得益，大家所賺的倍數高得驚人。多元化，什麼自供自給的，是蠢論。

我對曉虹說，要是中國懼怕在戰爭中受到威脅，就不應該搞三峽工程。這工程搞好後，美國一枚導彈，水淹七州！自供自給的保障沒有什麼意思吧。

我舉出江蘇昆山的例子。那裡的工業用地，是由農地轉過來的。美國同級農地的

價格是昆山的十分之一，工業地價卻是昆山的三倍。昆山多加一畝工地，就少了一畝農地。二者不可兼得，你要農還是要工？單看工、農地價與美國之別，昆山選「工」棄農是上策，因為有錢可賺也。

我跟曉虹談了兩個多小時，在世貿協議中關於金融、通訊、娛樂、科技、紡織、農產品及關稅等各項問個究竟，再比對一下目今中國在這些事項上的管制情況，對江、朱二老的觀感有了改變。我想，近幾年來中國什麼也不「放」，難道是要為爭取世貿條件而下的苦肉計？

天倫之樂

二〇〇〇年三月十六日

快樂指數——Hedonic Index——在經濟學上大有名堂，而二十多年前在美國研究這指數的學者大不乏人。此前的福利經濟學——Welfare Economics——搞了好幾十年，進一步退三步，到後來全軍盡墨。隨之而起的快樂（或享樂）指數，在概念上比較客觀，而在量度的技術上也大有改進。但無論怎樣高明，「快樂指數」困難重重，很多問題不能解決，這裡不便細說了。

我提到這些，是要在談「快樂」之前先向讀者解釋，我是人云亦云，自己不知道快樂要怎樣量度才對。寫這文章的起因，是《蘋果日報》一月三十日的大字標題：《中國人並不快樂》。內容是某國際公司作了一項「快樂」調查，訪問了全球二十二個國家的二萬多個成年人，其中一個結論是中國排名很低，所以中國人並不快樂。

這種問答遊戲從來都作不得準。甲說快樂，乙說不快樂，我們無從肯定乙不比甲快樂。天曉得，乙可能比甲快樂得多，但他感到要說不快樂。大富的人可以不快樂而說不快樂，但也可以不快樂而說快樂得很；換過來，窮光蛋也可以答快樂或不快樂。二者怎樣答也可能是說真心話。因此，全球的快樂調查很無聊，沒有什麼意思。

然而，一個有趣的問題是，中國排名不在最快樂的前十國之內（報道沒有說排第

幾），而印度卻排第六，墨西哥排第九。印度民不聊生，眾所周知；墨西哥貧富懸殊，窮苦人家觸目皆是。墨國我不能肯定，但從一般生活水平而論，印度肯定不及中國，而把印度的「快樂」排在英國（排第七）之上，真的是莫名其妙了。

印度的快樂排名遠超中國，不一定是說印度佬真的是比中國人快樂。天曉得，我們可能比他們快樂，只是大家的看法不同。

不管中國的老百姓怎樣說，不管他們怎樣衡量快樂，我可以肯定一件事。我可以肯定北京當局若能公布一個簡單不過的政策改變，且擔保以後不再改回頭，中國老百姓的快樂指數會在一夜之間急升——他們怎樣亂答也會急升。那就是北京公布永遠取消一家一孩的限制。

我也可以肯定，無論中國將來怎樣富有，不管「快樂」問答怎樣胡鬧，中國若不取消「一家一孩」的政策，「快樂指數」就乏善足陳。這是因為在「一家一孩」的管制下，中國的老百姓沒有天倫之樂。

一九八五年二月，我在《信報》發表《沒有兄弟姊妹的社會》，針對「一家一孩」的政策。我寫道：「長此下去，一二十年後，中國的青年都沒有兄弟姊妹。再過些時日，所有的人都沒有叔、伯、姑、表——除父母外，每個人都舉目無親！」十五年過去了，今天中國的青年，大都沒有兄弟姊妹，而再過些時日，他們真的會變為舉目無

親。

十五年前我為「一家一孩」大發牢騷，認為這政策對經濟有害無益，而舉目無親的社會可怕之極，所以在當時我就大聲疾呼。想不到，除了偷偷摸摸或一些特殊的情況外，「一家一孩」的政策到今天仍然存在。就是中國數十年後變為世界第一經濟強國，沒有天倫之樂又有什麼意思呢？

說自私對社會有好處，是對的，但自私也有害處。然而，因為血濃於水，一個人天生下來對自己的親屬有特別的同情心，有愛。我們因為自私而對親近的人特別關懷，甚至顯得不自私了。愛是很真實的事。而又因為相親相愛，我們就有天倫之樂。

我自己有一兒一女，不是一個偉大的父親。假如你問我願意為兒女犧牲多少，我會說你問得蠢，因為差不多所有人都知道，父親可以為兒女犧牲一切。願意犧牲而不需要犧牲，不亦快哉？

假如你問我的兒子，從今以後不能再見到他的妹妹，他願意犧牲多少來避免這樣可怕的事，他起碼願意犧牲整生收入的一半。倒過來，你問我的女兒，她對哥哥會表達同樣的愛。當然，兒女相聚時，爭吵是常有的事，但無論怎樣兒或女會為對方付出很大的代價。這是愛，是天倫的愛，是一種不能在市場交易的財富。

說天倫之愛是人類最重要的財富，應該沒有任何正常的人會反對吧！我不是精神

病專家，但認為任何反對這觀點的人都不正常。我們不會因為「正常」而變得偉大。你會為你自己的兒女犧牲多少，兒女又會為你犧牲多少？一算起來，你可能付不起，兒女也可能付不起。這不是偉大，而是適者生存的進化結果。有哪一個正常的人，會放棄天倫之樂來換取肥佬黎的財富？

中國要搞經濟現代化，可嘉也。要增加國民平均收入，亦可嘉也。但若要為爭取收入，要為什麼保七保八而放棄天倫之樂，得不償失是可以肯定的。可悲也！

去年我到中國七家名大學講話，知道每個大學生的一年費用，大約是一萬元人民幣左右。在中國目前的經濟情況下，那是很高的費用了。校方的主事人說，因為學生大都是獨子或獨女，父母左借右借也拼命支持。這是父母的愛，但可憐父母，獨兒獨女離家遠去求學，自己養狗度日，豈不痛哉？

天倫之樂是天生下來應有的權利，是維護適者生存的要素，是一項重要的財富。量度這財富，只能從願意犧牲而不需要犧牲的角度來衡量，不能從國民收入或物質享受反映出來。

「一家一孩」傷天害理；舉目無親是悲劇。北京的領導人若堅持「一家一孩」，要撫心自問：沒有天倫之樂會是怎樣的？

朱鎔基治標不治本

二〇〇〇年四月六日

朱總理鎔基最近論天下大勢，指出中國的經濟改革有兩個重點。其一是要肅清貪污；其二是要搞好國營企業。中國目前的經濟困難不止這兩點，但這兩點顯然是重要的。朱總理看得準。

問題是，貪污的普及與國企的不濟，由來已久，說要大事清除，大事改革，已有十多年，但成績又怎樣了？借用我們香港財神爺曾老兄對香港政府入不敷支的說法，中國目今的貪污與國企的困難是「結構性」的。既然是結構性，要改就要從結構改起。改結構，治本也。不改結構，怎樣治也是治標，不可為也。

先談貪污吧。差不多十年前，一家美國刊物（Newsweek）訪問我關於中國貪污的情況，我說了幾句後來常被引用的話。我說：「如果你將一個美女赤裸裸地放在我的床上，要我不想入非非，難乎其難矣！」

貪污是有政府管制才產生的。例如進口有管制，就必定有走私，要走私就要付黑錢，貪污也。所有其他管制都會有類似的效果。管制是一個赤裸裸的美人，你要官員、幹部怎麼樣？要他們去做和尚？有污可貪（美人招手），而自己又算準了闖禍的機會不大（老婆知道的機會甚小），你還要等什麼呢？當然，你可能是如來佛祖，八

風不動。但這樣的幹部十個中有多少個？如果你是幹部中的柳下惠，或練得像我那樣不動凡心（一笑），那你在大貪其污的制度中還會有工作嗎？

毫無疑問，朱總理是個清官。雖然高高在上的清官比較容易做，我還是佩服的。但朱總理怎可以認為所有幹部都可以像他那樣，以「清」為貴；或是用勸導的方法，使他們學得五根清淨，不為私利只為國家；又或者對貪污者施以重刑，趕盡殺絕？政府管制多籮籮，要杜絕貪污，難道要把幹部全都殺了？

十多年前，香港的廉政公署請我到那裡講話，要知道經濟學對貪污怎樣看。我認為「廉記」辦得很不錯，但忍不住對他們說：「你們辦得頭頭是道，其中一個重要原因，是香港搞自由經濟，管制不多；要是香港管制多籮籮，貪污觸目皆是，你們本領再大也無能為力。」這一點，他們當時是同意的。

一個社會不可能完全沒有政府管制，所以貪污是不能杜絕的，而廉政公署或類似的機構，也就因此有用場。比起十多年前，中國今天的價格管制日漸式微，而高幹及其子弟的胡作非為，也因為昔日的特權不再而少見了。大貪污今天有了改進，這是中國之幸。不幸的是小貪污越來越多。這是因為小的管制法例多如天上星，就是電腦也恐怕統計不了。

政府的小管制，對社會有些好（例如某些交通管制），有些壞（例如不准外地公

司在中國開人民幣戶口）。今天中國的小管制不僅多，且往往莫名其妙。這些滿天星斗、有理說不清的管制，使我在幾年前得到啟發而創立了一個新的貪污理論：好些管制是因為利便貪污而設立的！驟眼看來像是怪論，但短短的文章發表後，佛利民、艾智仁等朋友拍掌叫好，而今天接受此論的學者越來越多了。

貪污因管制而起，而假若某些管制是為了貪污而設的話，與這後者相關的貪污，一萬個廉政公署也禁不了。很顯然，貪污的治本辦法是取消所有對社會整體有害無益的管制。問題是，任何有害的管制都可以被胡說為有利。貪官之言姑且不談，壓力團體或特權利益就不容易解決。

轉談國企的困境吧。國營及不上私管，有一個很簡單的原因，那就是用他人的錢怎樣也比不上用自己的錢來得小心謹慎！這個哲理若永遠是對的話，國企就永遠不可救藥。

試舉一些眾所周知的例子吧。在美國，最好的大學前二十五名都是私營的。也是在美國，中、小學的每個學生的經費，公立的比私立的高出兩倍，但卻沒有任何正常的家長會認為私立的質素不高於公立的。二十多年前，在美國，我千辛萬苦地賺點錢，每天清早起來送兒女到老遠的私立小學，放棄了在家鄰近的免費公立小學。不僅我這樣做，其他的教授朋友也儘可能這樣做。

第二次世界大戰前後的英國，其工業產品有口皆碑。殊不知戰後大約二十年，就被日本趕過了頭，跟着遠遠地落後了。究其因，就是英國在戰後不久就開始搞國企，論什麼社會主義。要不是戴卓爾夫人手起刀落，今天英國佬的生活免不了江河日下。

大家想想吧。昔日的英國，造船是世界之冠，衣料是世界之冠，摩托車、單車是世界之冠，汽車亦近於世界之冠。這些豐功偉績，一下子去如黃鶴，皆國企之賜也。

香港的例子也如是。七十年代，香港的成衣、玩具、手錶等四、五項產品，是世界之冠。難道這些工業是政府搞出來的？今天這些工業北移，但還是私營的，所以還有看頭。

結論明顯不過。國企是不能以改進的辦法來達到私營的效率的。歷史的經驗沒有出現過奇蹟。朱總理不要談改「進」，而要談改「變」。國企的治本辦法是徹底地私有化。這是產權結構上的改變了。

舊事新談

退休大計——現代陶淵明生活的經濟分析

一九九九年七月九日

結廬在人境，而無車馬喧。
問君何能爾，心遠地自偏。
採菊東籬下，悠然見南山。
山氣日夕佳，飛鳥相與還。
此中有真意，欲辯已忘言。

以上陶淵明的詩，膾炙人口一千七百年；今天重讀，還是那樣飄逸，那樣令人嚮往。採菊東籬下，悠然見南山：朋友，你願意出多少錢去買回來！

人類的生活，在歷史上實在有很大的轉變。陶淵明打過八十三日工就歸去來兮，採菊東籬去也。我營營役役四十多年，為的只不過是要過幾天像陶前輩那樣的日子。

四十二年之前，我到北美謀生之際，世界人口大約在二十四、五億之間，今天多了整整一倍。一百八十年前，經濟學者馬爾薩斯（Thomas Malthus 1766-1834）見有

人滿之患而創立了他的人口理論時，世界人口低於十億。陶淵明是一千七百年前的人，那時的人口應該是更少、更少了。要「結廬在人境，而無車馬喧」，應該是很容易做到的吧。

今天，我們若要在香港或中國大陸仿效陶淵明的生活，只有兩個辦法，但總是有點不妥。其一是復古，其二是很有錢。

「復古」的辦法很簡單。你到中國大陸一些不毛之地，沒有電力供應，沒有自來水，電視、電腦、空調等更談不上，醫療服務要大半天的行程。你能習慣嗎？你餘下來的日子，會因為少了先進科技而減少一半，你願意嗎？

說人不是為物質享受而生存，是老生常談，聽來有點俗氣。我不反對這個觀點，但卻認為有價廉物美的先進享受而不享受的人，是傻瓜。所以我認為，今天要過一下陶淵明的生活，我們要有先進的物質享受，而又能採菊東籬下。

是的，在東南亞一帶，要做一個現代化的陶淵明，可真不容易。在香港，我所認識的朋友沒有一個可以做到。就是我們的財政司，其政府供給的豪宅可說是「結廬在人境」，但一步出其大花園，車喧不絕於耳。

假若你不要復古，但很富有，可以呼風喚雨，當然可以計上心頭。如果你有兩億港元吧，那你到陽朔、揚州、蘇杭等山明水秀之地，細心找尋，買下半個山頭，加上

果園、魚塘各數十畝，然後大興土木，應該有點看頭。不幸的是，保安是個大問題。你採菊時有保安人員行來行去，掃興之至也！

聽說友好黃永玉出奇招，在北京近郊建了一個「萬荷堂」，成功地把陶淵明現代化。我不知是真是假。永玉數次請我去小住，但我因事忙不能前往。有機會我總要去一次，看看永玉作淵明及格不及格。

我打算退休後採菊東籬下，已有很久的日子了。一九七六年，我在美國西北部一個幽美海峽的海濱，以六萬八千美元買下一所陳舊的房子，岸地、海灘各佔四萬多平方英尺，蠔、蟹等海鮮俯拾即是。岸上杉楓交映。我花了三萬美元建魚塘、果園，植名花不計其數。那是現代陶淵明的生活了。可惜的是，自八二年回港工作至今，我有機會到那裡大約十次。

總數大約十萬美元的投資，當時（一九七六年）以一個教授的薪酬作副居置業，是很勉強的了。兩年前有人出價五十萬，我沒有賣出。屈指一算，二十一年上升五倍，除了利息及每年的物業稅，所餘無幾，但總算是過了陶淵明的癮。

是的，在美國西北部作一個現代的陶淵明，今天還可以辦到。且讓我以甲、乙、丙三級的費用（以美元計）排列出來，好叫讀者能選擇一下。

甲級：精彩之極的海濱房子（八十萬），一級農地八十英畝（四十萬，大約三百

五十萬平方英尺），其他費用每月一萬（收息所需資金大約一百八十萬）。加起來是三百萬美元。

乙級：很不錯的海濱房子（四十萬），一級農地四十畝（二十萬），其他費用每月六千（資金大約一百一十萬）。加起來是一百七十萬美元。

丙級：沒有海濱房子，但有很好的房子與四十英畝農地連在一起，風景如畫的（大約三十五萬）。舒適但不常作旅遊的生活費用，大約每月四千（資金七十二萬）。加起來是一百零七萬美元。

上述丙級所需的「身家」，以港元計，是八百三十萬。你拿着這資產在香港退休，房子可以花三百萬左右。這大約足夠買一個實用面積五百平方英尺的單位，無馬喧，但其他喧聲應有盡有。採菊東籬下不成，採菊騎樓上也不成，但採菊於嬌小的窗臺中是可以做到的。

稅率奇高的自由經濟

一九九九年八月二十七日

多年以來，美國史丹福大學胡佛學院的幾位高級研究員（包括佛利民），提倡美國的稅制應學香港。他們認為香港的稅率低而又稅制簡單。說香港有簡單的稅制，是對的，但說稅率低就不對了。以一個自由經濟而言，香港稅率之高可能是世界之冠。

我這一輩的經濟學者有一句格言：大概地對比精確地錯可取（Roughly right is better than precisely wrong）。今天，年青的經濟學者似乎不知道這個哲理。他們以高深的數學，複雜無比的統計，電腦、電腦一番之後，以零點後三、四位數字來表達他們的學術結論。這些精確的錯，是自欺欺人的玩意。他們好像沒有想過，世界複雜無比，而統計學的陷阱多如天上星，可取的結論要先求大概地對。

這裡我試用「大概地對」的招式，來表達一下香港的所謂自由經濟的「苛政猛於虎也！」（按：《孔子過泰山側》的「苛政」，是指「苛稅」。）話得說回來，在這裡我用「大概地對」的原因，是大眾化的刊物應該「大概」地下筆，而在準確上這「大概」是雖不中亦不遠矣！

我拿起筆，在三十分鐘內作了如下的計算。假若一個每月收入港幣十萬元的人（每月美元一萬二千九百，算是中上人家），不儲備，把收入花光，那麼美國的稅率為

何，香港的稅率又為何？答案是，美國大約百分之三十；香港大約百分之五十二！

我計算美國的稅率，包括收入所得稅、物業稅、銷售稅，及其他可以想得出的政府徵收。一個月入一萬二千九百美元的人，算是高收入了，其所得稅的邊際稅率大約百分之四十。但美國的稅制有很多可以減稅或免稅的項目，左減右減，左避右避，計算出來的總稅率，百分之三十左右是可靠的。

香港的稅制沒有美國那樣複雜，用不着收存可以減稅的單據，報稅時不需要花一兩個星期整理。是的，美國個人入息稅的報稅表格，看到就頭痛，所以月入一萬二千九百美元的人，到最後總要找會計師去處理。香港則簡單得多——你不算，政府替你算。但從月入十萬而又全部花光的例子算，香港的稅率是百分之五十二，比美國的百分之三十，高出百分之七十三。

我計算香港的稅率大概如下：月入十萬，所得稅是一萬五千。一個月入十萬的人，居住費用（買或租房子）大約每月四萬，其中百分之六十左右是政府所收的地價。這個人有一部私家車，所有費用（包括折舊）大約每月一萬五千，其中的汽車進口稅、汽油稅、牌費等，又佔該一萬五千的百分之六十強。其他消費購物，姑勿論煙酒稅，單是鋪租之內的政府地價就應佔物價的百分之十五以上。這些加起來大約是總收入的百分之五十二。

有趣的是，要是這個月入十萬的人不買私家車，他當然不會坐巴士。坐的士，政府所賣出的牌價動不動是三百萬，那麼坐的士所付的稅也高得驚人。

如上簡略的分析，有兩個與眾不同的含意。其一，歷久以來，研究香港稅制的學者，都認為香港的稅制非累進，或不夠累進，不是劫富濟貧的那一類。錯！月入十萬港元的人稅率達百分之五十強，但一個月入數千的人，住公屋，坐巴士，自己買菜煮飯或吃於大牌檔——其總稅率應該低於百分之十。另一方面，大富的稅率，每月坐頭等飛機到外地旅遊的，其總稅率應該在百分之四十之下。

以上是說，香港的稅率，是傘形的：貧與富的兩端稅率低，中上階層的最高。這與四十年前戴維德所說的，美國稅制是「反傘形」的相反。

第二個含意，別開生面。香港這個高地價稅制，房地產價格大幅上升時，皆大歡喜，而最高興的應該是中上階層的人士了。你花一千萬買一個單位，轉眼之間升到三千萬，無端端子子孫孫皆有着落，哪管他真正的稅率是怎樣高的？大富的當然同樣過癮，而下等的雖然眼紅，但總會因為有錢人多了而能多賺點錢。

倒轉過來，地產暴跌，香港的中上階層就得個「慘」字。在美國，你買入的房子的價格上升了一倍，又下跌至原價，你空得一場歡喜，其間增加了消費，打回原形沒有什麼大不了。但若在香港，房地產暴升暴跌之後，政府在價高時賣地所得，給公務

員加了薪酬，中上階層的財富就轉到公務員身上去。

年多前，在金融風暴之際，一位朋友對我說，香港中上階層人士看來要集體破產。這說法有點誇張，但其論據應該是對的。

以稅率低而知名於世的香港，是一個誤解的神話。我們的公務員薪酬近世界之冠，教育、醫療等政府資助是世界之冠，而這些年來福利上升的速度，可能破了世界紀錄。香港不搞赤字財政，低稅率是不可能的。

直銷何物？

一九九九年九月三日

雖然我聽過電腦的神乎其技不下千次，但我對電腦一無所知。最近因為黎老弟智英大手搞「蘋果速銷」，我就好奇地研究一下經電腦銷售究竟是怎樣的一回事。所謂「速銷」，其實是直銷。直銷者，是要省卻一層中間人而圖利也。這個概念不可能錯，能否成功是另一回事。

二十年後的世界，跟今天的會很不一樣。電腦的普及與上網的發展，大幅度地減低資訊及交易費用。這些費用在國民收入中的比率很重（通常在百分之五十以上）。假若電腦能把這些費用減低百分之十（應該不止此數），有大利可圖的機會數之不盡。這解釋了近幾年來，風起雲湧，網上搞直銷、資訊等生意，在美國熱鬧非常。

神話數之不盡。一個年青人，想到一條賺錢的門徑，成功地設計了優質軟件，一夜之間可成大富。是的，在美國的股市上，好些所謂科技概念股，生意虧大本，或賺不到多少錢，但其股價高得離譜。有些只經營了兩三年，還在蝕本，但其股價總值竟然超過製造汽車舉世無匹的通用汽車公司！

到今天為止，網上生意賺錢不易，但因為市場相信其概念，認為大有前途，資金就湧進，使其擴張能力大得驚人。是的，在美國的西岸，只要你有一個有吸引力的概

念，軟件做得好，要集資易如反掌也。

綜觀今天在美國比較成功（以股價來量度）的電腦直銷，他們都有三個共同的要點。其一是有一個明確的生意眼，或可說是一個新的生意概念。其二是電腦的軟件設計要做得差不多天衣無縫。這是極不容易的。精彩的軟件，應有盡有，你要問什麼題目，賣家的市場評價，買家的可靠成分，在電腦上一按就知道。

其三，因為新的生意眼沒有專利權，而軟件的設計又可被他人仿效（雖然成功的仿效要花巨資，或被原作者訴之於法），搞直銷的人會設法先入為主，盡量霸佔市場的百分率。他們不惜重金，虧大本，服務之周到令人嘆為觀止。目前美國的形勢是，虧本歸虧本，只要市場的佔有率大，直銷公司的股價就如天方夜譚。

eBay 搞的直銷拍賣卻又自成一家。據說是一個十七歲的青年想出來的。搞拍賣，名貴的物品當然不能靠電腦的照片出貨，所以 eBay 代拍賣的大都是三幾十美元的物品。但他們的軟件設計得妙，服務周到，成本低廉。每件拍賣品只收賣家兩美元，可以選拍三天至十天，拍不出可免費再拍一次，拍出時抽取佣金甚少。正所謂薄利多銷，七成拍出，流通量二百多萬件，且不斷上升。積少成多，我對 eBay 的前景是看好的。

要購買機票旅遊嗎？在美國，一按電腦，就知道最相宜是哪班機，訂位後到機場

便可。旅行社的前景是不容易看好的。奇怪，在美國經電腦買股票，不用經紀，費用近於零，但為什麼那裡的大股票經紀行本身的股價，卻近於歷史高峰？

回頭說黎老弟的「蘋果速銷」，聽說搞得很亂，電腦不靈，物品質量有問題，而百佳等超級市場減價反擊，十分犀利，故目前此「速銷」頻頻失利。但黎老弟做生意自成一家，有他自己的一套。他沒有讀過經濟學，但信奉市場卻不亞於佛利民。佛老解釋市場的運作，而肥佬是按市場規律做生意。是的，黎老弟喜歡有了概念，先開了檔，不成時立即修改。「朝令夕改」，在政治上是大忌，但以市場為依歸來做生意，這四個字倒是黃金定律——朝的令與夕的改，皆由市場決定也。

所以我認為，「蘋果速銷」目前所遇到的困境，黎老弟總會想出解決的辦法。電腦、管治、服務等問題，可以從經驗中改進；鬥不過超級市場的物品，可以轉賣其他的——貨源的問題遲早可以解決。

我認為黎老弟最大的困難，是香港的網上市場不夠大，迫使他要維持現有的混合制。是的，美國的電腦直銷，是完全不用街鋪及電話接聽的，也不用人手抄寫或作記錄。這些費用支出不能低估，要是網上市場夠大，這些費用遲早可以刪除。

電腦直銷這回事，是要有很大的網上市場來支持的。這是因為電腦的容納量是無限的，處理一萬個客戶與一千萬個客戶的軟件成本差不多，所以在美國搞直銷的都把

人手集中在改善與維持網上服務及貨源選擇這些方面去。固定成本大，邊際成本小的生意，通常要有一個大市場才能發揮其功能。

美國賣書及唱片等的Amazon.com有近千萬個網上客戶，但還在虧本。

不管怎樣說，「蘋果速銷」目前所用的混合制是創新之舉。這經驗將會是下一個世紀的市場動向的一塊試金石，算是一個里程碑。在外地搞直銷的人不應該放過黎老弟的新玩意所能取得的經驗。

論賭

一九九九年十一月五日

論賭，香港是有悠久的歷史了。今天位於跑馬地的墳場，是因為戰前火燒馬棚，眾多賭徒謝世而設立的。先父當日也在馬場，被燒了半頭頭髮，大難不死，是家母生時常說的張家典故。

我很欣賞今天仍存在的、在跑馬地墳場門外的對聯：「今日吾軀歸故土；他朝君體也相同。」據說這對聯是當時的一個鬼佬港督所擬的，雖然「歸故土」對「也相同」不工整（平仄沒有問題），但對聯實在好。

香港歷來所開的賭，賭馬及六合彩之類的，是政府的專利。這不由得使人聯想到「只許州官放火，不許百姓點燈」。但港府在這些「開賭」上所賺到的錢，大都用作「善舉」，市民就沒有什麼話可說了。

反對香港私營開賭的人，數之不盡。為何如此呢？這是個不容易解釋的問題。一說「賭」是不道德的行為，有傷風化。這觀點顯然不成立。以人口的百分比來說，香港的賭徒應該是近於世界之冠。賭馬的狂熱姑且不談，單是賭股市、賭樓市，人多勢眾，而其風險之巨，的確是像蘇東坡所說的「驚濤裂岸，捲起千堆雪」！

其實，我們每個人天天都在賭。你到超級市場買雞蛋，要賭是好還是壞的。你在

任何市場下任何的注，在某程度上都是一項賭博。

好些反對香港開賭的朋友，是不希望自己的兒女有「好賭」的不良嗜好。沒有建設性的、或然率説是敗多勝少的賭，我也勸自己的兒女要知所適從。但開賭場可以嚴禁某年齡之下的少年，而有規模的賭場，青少年就是容許也沒有錢去下注。另一方面，住在拉斯維加斯的朋友告訴我，該市的本地人不賭。

我自己的兒子二十七歲，對賭沒有興趣，怎樣勸他去試賭一下，也不肯聽老父之言。女兒二十六歲，喜歡賭幾手，問題是她從來節儉，到賭場只限一百美元為可輸的上限。不久前她到拉斯維加斯，我在香港以長途電話勸她多賭一點（到了該城，不賭有什麼意思？），她就是不聽。

毋庸諱言，賭博是一種娛樂，可以消磨時間。去年夏天，我到賭城 Lake Tahoe 去開經濟會議，晚上悶得怕人，我拿着三百美元去賭，以為可以買半個小時的娛樂時間。殊不知賭來賭去也輸不掉。賭了兩個多小時，興趣盡失，但賭桌上的錢有增無減。我於是每手將所有的錢都推出去，到第三手才能輸清光，誠苦事也。

最有分量的反賭言論，是開賭場會引來黑社會的操縱，治安會有問題。昔日的芝加哥與今天的澳門就是例子。是的，在傳統上賭場與黑社會的混合有跡可循。但為什麼如此呢？

一個可靠的解釋，是歷史上賭場往往是非法的，所以黑幫當道。黃、賭、毒的經驗皆如此。就是像澳門那樣，賭場合法化，但若政府管制發牌的數量，以至「油水」過多，那麼貪官、黑道就會有混水摸魚的空間。

近二十年來，美國拉斯維加斯的眾多賭場辦得好，使人對該賭城刮目相看。除賭以外，酒店的設計五光十色，令人目不暇給，而表演節目應有盡有，要賭與要不賭的皆有所適從，實在是一個消閒的好去處。我自己對這一類娛樂沒有嗜好，但數之不盡的朋友很欣賞，每年總有幾個週末到那裡花點錢。聽說美國東岸的大西洋賭城也辦得不錯。

今天，拉斯維加斯是美國發展得最快的一個城市。遊客每年數千萬，銷展及國際會議觸目皆是，而據說賭場三分之一的收入，是來自我們亞洲人。治安可人，而到那裡散散心的多是有識之士，是有分量的道德判斷者。

是的，像澳門那樣的賭城我反對，像美國華盛頓州近十年來在印第安人的土地上設立的賭場，搞得不倫不類的，我認為沒有意思，不辦算了。近乎拉斯維加斯那樣現代化的、以消閒為重而又能引來舉家大小的遊客光顧的賭城，香港不妨客觀地考慮一下。

建議香港開賭的一位朋友提出大嶼山為地點，甚有見地。我們花了那麼多錢搞基

建，是應該多加利用的。香港是有條件把一個小賭城辦得很好的。慎重衡量，沒有信心辦得好才放棄，是上策。

賭城的成或敗、好或壞，歷史上的檔案有的是。我們的財政司長是不難找到可靠的資料及顧問的。有了可靠的資料，我個人有三個建議。

其一，政府不要向管制牌照數量而多賺牌費那方面打主意。政府不要賺生意所得稅及地價以外的錢，要讓賭場帶來的利益間接地流到市場上去。其二，要盡可能向國際的大庄家招手。我們引進外資的同時，也要引進設計與賭法，務求國際化。

其三，外地的經驗告訴我們，成功賭城的重點不是賭，而是娛樂。今天中國大陸的歌星、舞星不計其數，菲律賓的歷來都有看頭，所以要辦賭城，政府是要大量放寬這些藝員的進口的。

反對香港開賭場的權威人士，有責任到拉斯維加斯去考察一次。

壟斷可能是競爭的結果
——為微軟說幾句話

一九九九年十二月二日

美國富可敵國的、有金漆招牌的微軟公司，最近在一件被稱為本世紀最大的反壟斷官司案中，被法官殺得落花流水！雖然要待明年才判案，但此判也，凶多吉少，而庭外和解總不會得到甜頭。據說微軟打算上訴，但上訴既不能拿出新證據，成功的機會是不大的。

實不相瞞，我曾經是美國反壟斷官司的專家，在學術上作過研究，而在經驗上也作過兩件超級大案的幕後經濟理論顧問。我贊成競爭，所以從來不反對以競爭的方法去爭取壟斷。因此，在自由市場競爭下所產生的反壟斷案件中，我永遠是站在辯方那一邊。控方請我作顧問好幾次，我都推卻了。

微軟官司的法官公布他的見解後，好些人大聲拍掌，尤其是那些曾經與微軟競爭的敗軍之將。香港的《南華早報》也站在法官那一邊，認為微軟有所不是。我認為這些人不明白市場，不明白競爭，更不明白美國的反壟斷法例是怎樣的一回事。

說來不容易相信：美國的反壟斷法例是完全沒有法律的，永遠都是武斷，很有點亂

來。這法例反對的不是專利，也不是壟斷，而是壟斷的意圖及行動。那是說，這法例反對的不是名詞的「壟斷」，而是動詞的「壟斷」。然而，市場的所有競爭，都是要把對手殺下馬來，不多不少是有點壟斷的「動作」的。

說反壟斷的官司判案歷來武斷，有點亂來，微軟目前的官司就是例子。要不是微軟賺那麼多錢——要不是蓋茨那樣富有——何罪之有？要是你和我在美國試行微軟做生意的手法，但賺不到錢，或虧大本，那麼就算你和我跪地懇求被起訴，美國政府也必定視若無睹。換言之，微軟的問題，是錢賺得「太多」，在競爭中所向無敵。令人費解的是，在反壟斷法例中賺錢多少從來沒有提及。

我認為除了賺錢，今天微軟在這場官司上所遇到的困境，還有三個原因。其一是他們不選用陪審團。可能今天美國的反壟斷官司，與二十年前我參與時有所更改，但據我當年所知，被控的一方是可以選擇有還是沒有陪審團的。當年，一般律師認為，複雜的案件，陪審團難以明白，所以要選單由法官裁決。微軟的案件極為複雜，但我認為選用陪審團是上策。這是因為好些人買了微軟的股票——或起碼有不少朋友買微軟而賺了錢——而在一般市民的心目中，微軟的形象實在好。這家公司把西雅圖的經濟搞上去，也是美國今天以科技雄霸天下的一個大功臣。

其二，微軟在這場官司中，僱用的律師雖然絕對一流，但經濟理論的闡釋卻是不

足。競爭與壟斷的概念，竟然沒有人對法官解釋清楚。

其三，把軟件連帶硬件一起出售，可以防止軟件被盜版或盜用。這是個重點：微軟可以說他們堅持軟、硬搭銷，不是為了壟斷，而是要為軟件防盜。我認為起碼在某程度上，這是事實，但為什麼微軟沒有把這重點說出來？

壟斷的成因有四種。從社會經濟利益的角度來衡量，只有一種是不可取的。其一是壟斷者有特別的天賦，像鄧麗君那樣的歌星，或多或少有壟斷權。這種壟斷是不應該被禁止的。要是鄧麗君還在，你要把她殺頭，還是讓她笑口常開地唱下去？

第二種壟斷是有發明的專利權或版權，或商業秘密。這種也不應該被禁止。沒有發明專利，世界上不會有愛迪生，雖然此公最後因為專利官司打的太多而近於一貧如洗。

第三是最難明白的，而也是美國反壟斷法例最通常針對的壟斷。這就是在競爭中把對手殺下馬來。這種壟斷有壟斷之貌而無壟斷之實。一萬個競爭者中只有一個不被淘汰，但這生存的「適者」，分分鐘都懼怕眾多的敗軍之將捲土重來，所以他的產品價格不可能是壟斷之價。這是微軟的「壟斷」，有貌無實，是不應該禁止的。

據我所知，贊成自由市場、高舉競爭的有道的經濟學者，反對的壟斷只有第四種，那就是由政府管制牌照數量，或由政府立法來阻止競爭而產生的壟斷。這種壟斷香港政府是專家，也難怪幾年前消費者委員會提出的反壟斷建議遭到漠視了。

回頭說在微軟這件大案中，控方的主要理論專家是大名鼎鼎的 Robert Bork。我認識這個人。此公神高馬大，聲若洪鐘，思想敏捷而深入。他曾經是芝加哥大學元老戴維德的入室弟子，懂經濟而又當過大法官，是個奇才。他寫過一本經典之作，反對美國所有的反壟斷法例。在這次世紀反壟斷大案中，控方在政府之外的主要公司 Netscape 聘請了他。

三十年前史德拉對我說，人的靈魂是可以出售的。是的，人各有價！

十年風雨話《壹週》

二〇〇〇年二月二十四日

光流水逝，《壹週刊》創刊十年了。今天，它是香港最多讀者的雜誌。假若能在中國大陸發行，暢通無阻，其總銷量可能是世界之冠。這樣說，是因為我這個專欄的讀者反響，大陸的比香港的還要大。「禁書」也有如此功力，可謂奇哉怪也。

沒有誰可與「成功」爭辯的。不久前一位朋友給我看一本名叫《黎智英傳說》的書，內裡兩次提到我，一對一錯。對的是說我賭《壹週刊》可以上市，輸了十二瓶紅酒給鄭大班；錯的是說我曾經與肥佬賭一百萬，《壹週刊》銷量不會達二萬。我沒有資格賭那樣大的錢，而我雖非聰明才智之士，IQ 卻不應該是零蛋。自己一無所知的行業，怎會胡亂下賭注？

說實話，當《壹週刊》初出茅廬之際，看淡的人數之不盡，而看得最淡的是鄭大班。我自己不知道怎樣看。然而，出版了兩期後，《信報》的駱友梅對我說她看好。林太是過來人，有很了不起的辦刊物的經驗，她的判斷當然比鄭大班可靠。她是我認識的朋友中第一個看好《壹週刊》的人。黎智英是第二個，但那是出版五期後的判斷了。肥佬比不上林太，我是證人！

朋友，你信不信風水？《壹週》創刊那一天，日圓兑美元是一六三對一，是近代

歷史的新高。而今天《壹週》的銷量，大約是十六萬三千。

《壹週刊》初出道前，我作了個小貢獻。據說是因為電腦排版的技術困難，他們決定了把字橫排。我對黎智英說：「沒有一本成年人看的香港暢銷刊物是橫排的。你為什麼要賭這一手？」他聽後，立刻打電話給梁天偉，堅持直排。以局外人而論，貢獻最大的應該是林振強。林兄既有新意，也懂得香港的新潮品味。聽說黎很重視林的意見。

創刊那一期，我真的不知怎樣看。應有的有，不應有的也有，設計五光十色，花多眼亂，植字錯漏不少。我對整個刊物的觀感，是雜亂無章。我自己放進去的，是一篇題為《最後的晚餐》的短文，引用聖經的故事來跟港英當時不斷加薪、不斷花錢的劣作過癮一下（今天不幸言中）。這短文雖然自覺稱意，但遠不及黃黑蠻的插圖來得精彩。黑蠻借用了達芬奇所繪的《最後的晚餐》的畫面，把耶穌和十二個門徒換上港督、財政司及十一個高官，唯肖唯妙，令我拍案叫絕。

當時我可沒有想到，《壹週刊》會在香港的出版行業上經歷差不多十年的風風雨雨，或可說是搞得滿城風雨。今天，雨過天晴，一切都似乎平靜下來了。這就讓我有一個比較客觀的機會，去回顧一下究竟《壹週》是怎樣十年樹「刊」的。

今天在香港傳媒之大名鼎鼎的黎智英，十年前絕對是門外漢。當時他雖然自修讀

過不少書，但文章應該是半篇也沒有寫過的。但他就是信心十足地要搞刊物。他本着三個原則搞《壹週刊》；我同意其一，但對其二、三都有保留。

第一個原則，我同意的，是要大手筆地花點錢。我當時認為，香港人的時間寶貴，花十多塊錢買本刊物，閱讀一個小時的時間成本動不動以百元計。刊物內容若比不上閱讀時間的代價，就是免費贈送也沒有人看。我舉出當時在台灣搞得很成功的例子——《天下》雜誌——是那裡第一本肯花點錢的刊物。（因為競爭多，今天沒有那樣成功了。）（《壹週刊》編者按：此說犯駁。有競爭才有進步，是不是？）（作者按：此說難駁，因為我說的成功是賺錢。）但當時我可沒有想到，黎智英後來所下的注碼，遠超《天下》。

第二，黎智英要暢銷，所以要《壹週刊》適合香港每一個階層。這點我有點保留，因為據我所知，世界上當時沒有一本成功的雜誌，是適合所有階層的。可能因為他見香港刊物多如天上星，而市場又不大，算是有學問的讀者更少，所以他堅持要普及各階層。

今天，從國際上的成功（當然包括賺到錢）刊物來品評，《壹週刊》是怪物。怪者，史無先例也。久而久之，見怪不怪，其怪自敗。我也沒有肥佬的辦法！今天的《壹週刊》，所有階層都看。就是一刊兩冊（怪也）的比較「正經」的第一冊，內裡的

專欄有兩級半的《壹驚艷》（你信不信我從來不看？），有兩級的林振強與蔡瀾（過癮可讀，往往偷看），有一級半的李碧華（新潮才女，老人家有時一頭霧水），有一級的楊懷康（不敢不看），也有無級的《南窗集》（自我陶醉矣）。其他的變化更厲害，毋庸細說了。

第三，只要文章有讀者，有市場，肥佬給予編輯或記者有近於不干預的自由。這點我不僅有所保留，而且不同意。己所不欲，勿施於人——我認為每個人都有些私事，是應該被尊重的。比方說，《蘋果日報》開鑼時，某知名人士的孩子在小學一年級考試不及格，竟在頭版報導，我就忍不住破口大罵。小孩何罪，要被同學們嘲笑的？

可能作為局外人我看得不對，但從局外看局內，香樹輝與梁天偉初時花樣百出，跟着康少範的設計越來越好。其後肥佬重用楊懷康。阿康這個人發神經：他定期閱讀十九本國際大眾刊物，所以能在險中求勝。

然而，無論怎樣說，《壹週刊》最重要的功臣還是肥佬自己。他使的是「獨孤九劍」：贍、贍、贍；錯、錯、錯；改、改、改。說肥佬大智若愚，還是誤打誤撞，他也不會反對，因為他知道成功只能以效果來衡量。

近半年來，《壹週刊》變得收斂得多了。封面比較平穩；「出位」的文字遠為少

見；觀點較為中立。經過十年的風風雨雨，《壹週刊》的「怪格」成了形，天下僅見，再沒有什麼還要大手地改、改、改的。

《壹週刊》的經驗，將來會見經傳。在香港有傳媒學系的大學，應開一科關於《壹週刊》的課。

考試四情：懼怕、喜歡、沉悶、過癮

二〇〇〇年三月二日

說來慚愧，我沒有在小學或中學畢過業，雖然在大學畢業過三次：學士、碩士、博士。對考試我算是老手了。又因為在中、小學時留級留得多，我考試的次數超人一等。人家考一次，我要考三次！

那時，我要不是覺得老師胡說八道，就是覺得上課悶得怕人。為了好奇而發問，被罰企或「留堂」是慣例；我於是魂遊四方，好些時逃學不上課，兩次被逐出校門。因為十試八不中，對考試大有懼怕之心。這是第一情。

二十一歲到加拿大補修課程，兩年後到美國讀大學，求學環境與香港的截然不同。在課堂坐着，可以不舉手而大聲發問。教授大聲回答：「問得好，你叫什麼名字呀？」就是這樣簡單，我就認真地讀起書來了。

考試永遠都是無聊的事。但當年在加大，學生是可以作英雄的。中期試（通常一科三個）後發還試卷前，教授喜歡在課堂上公布成績最好的前幾名學生。這樣容易做英雄，不考個第一才怪。

記得有一次，大名鼎鼎的經濟歷史教授W. Scoville正要公布英雄榜之際，我就先站起來，準備舉起雙手，向四周的同學打個招呼。殊不知第一名不是我，同學倒彩之聲震耳欲聾，使教授喜上眉梢。在那段英雄日子中，我渴望考試，因為有機會作英雄。此喜也，是第二情。

後來進了研究院，雖然成績好，但自覺所知不多，而考試越來越無聊，覺得沉悶之極。事實上，研究院只有數十個學生，教授們見我在課堂上問得奇，答得怪，考試時答錯了也分上留情。我於是專心讀書，但可沒有為考試而讀的。學問於是有點看頭。

很不幸，試還是要考的。四個博士試，同學們大都分兩年考；我但求了事，選在五天內考完。一位教授說我發神經，我的回應，是考試與學問無關，草草了事，作研究寫論文才有意思。

四科博士試三科一，一科二，早些時我可能感到失望，但既然覺得考試無聊、沉悶，成績怎樣就怎樣。這是第三情。

考完第四個博士試，我對自己說：那是我今生最後一試，謝天謝地，此後我再不用考試了。這個想法，只對了三十六年。

七個月前，我答應肥佬重出江湖，在《壹週刊》再寫專欄。事前我可不知道，《壹週刊》發明了一項新玩意：每期讓讀者在電腦上選「最受歡迎」的文章。寫了幾期

我才知道這玩意，就覺得中了計。讀者選擇排列，不是考試是什麼？二十九年前我已是正教授，今天怎還可以被考的？

重出格子江湖，最初的幾篇當然寫得較好，但成績平平，顯然是因為封筆兩年多，與讀者隔離得太久了。跟着而來的排名，大有起色，彷彿大學當年。然而，人老了，英雄意氣少年事。問題是，我要跟阿康過癮一下，要他知道我還是寶刀未老。

我於是想出如下的主意：創出一項不容易被打破的《壹週刊》紀錄，立此存照。我想，要是我能一連五期排名第一，雖是無聊，卻也過癮。但五連冠談何容易，戰略是需要的。

我採用的第一個戰略，是集中五篇自己認為是可以的文章，連貫地刊出。殊不知頭三篇雖得第一，其餘兩篇卻排第二。時運不齊，阿康開心之極，哈哈大笑！

捲土重來，採用第二個戰略。見千禧將至，我決定以千年回顧為題而寫五篇相連的文章，要是寫得好，連貫地勝出五次比較容易。題目起得好：「驚回首，感慨話千年！」。但細想之下，這題目我只能寫四篇——刻意地拖長來寫，可能全軍盡墨。我又想，要是四篇《驚回首》的前一篇或後一篇得個第一，五連冠就大有可為。

四篇《驚回首》寫得很用心，發稿後就去美國與孩子們度聖誕及千禧。到美後不久，知道《驚回首》之前一篇得個第一（之後一篇也是），就認為阿康非中計不可。

殊不知人算不如天算：《驚回首》的一、二得第一，是人算；但三、四（四寫得最好）三甲不入，卻是天算了。

《壹週刊》的讀者像我一樣，很有點無厘頭，不容易捉摸。五連冠兩試不成，不再試了。想不到，在這兩試的過程中，我無意間創了一項比五連冠更難破的《壹週刊》紀錄。且聽我道來。

《驚回首》的前一期，我第一，有第二，但例外地沒有第三。阿康傳真給我時揮筆大書：「這期竟然沒有第三，擺明是做馬！」我想，暗地裏要朋友投自己一票容易（雖然我付不起掩口費），但要不認識的讀者不投他人一票，卻不可能。我立刻傳真回應，說：「不久的將來，只有一個第一，其他什麼也沒有！」

果然，跟着而來的《驚回首》第一篇，排第一，沒有其他名次！這個怪現象的唯一解釋，是在千年大暇中讀者大都懶得去按電腦。越少人投票，單「一」上榜的機會越大。

天意也，我卻之不恭！我想，單「一」上榜這個《壹週刊》紀錄，後之來者充其量只可以打個平手，但永不能破。我又想，阿康若要平這個紀錄，他要等一千年才有機會！我不由得哈哈大笑，感到過癮之至。這是我考試的第四情。

蘋果何物？——為智英賀

一九九五年六月二十日

（按：智英創辦《壹週刊》後，意猶未盡，再大興土木辦報，取名《蘋果》，余喜其名，書此頌之。）

蘋果者，禁果也！何謂禁果？上帝禁止亞當與夏娃在伊甸園偷吃之果實也。

但是，如果翻閱聖經《創世紀》的記載，我們只能發現，上帝在伊甸園所禁吃的，是某樹的水果——蘋果之名可沒有被提及過。《創世紀》說得很清楚：伊甸園的中央有兩棵樹，一棵代表生命，另一棵代表知識。一個人若吃了知識樹上的水果，會變得聰明起來，有了智慧，眼睛也明亮了，懂得分辨善惡，分辨是非。然而，上帝要禁吃的，偏偏就是這知識樹上的果實。

夏娃為了追求知識，要聰明眼亮起來，就偷吃了知識禁果，也分給亞當吃了。上帝知道他們偷吃了禁果而變得聰明起來，奪取了祂懂得分辨善惡的專利權，於是就把這對聰明的男女懲罰；但又怕他們再去吃園中的另一棵樹——生命樹上的果實，變得長生不老，就索性把他們趕出伊甸園去！

本來，偷吃禁果是死罪。但上帝畢竟還是仁慈的。祂替亞當、夏娃做了可以蔽體

的衣服，使他們將來後繼有人，同時，也延長了他們的壽命；不過，他們既然從塵土裡來，也應該回到塵土裡去。

對上述故事相信的人會認為是事實，不相信的，會覺得是一個比喻，是人類智慧創造出來的寓言，象徵著什麼的。事實上，人類不是住在——或早已遠遠離開了——伊甸園。正如《創世紀》所說，在伊甸園外，我們人類有智慧，要追求知識，刻苦耐勞，生養眾多，但也難免一死——回歸塵土。也因為這些不幸的「懲罰」，我們的歷史有演變，人類也有了進步了。

老實說，如果伊甸園今天還在，我們是不願意回去的。沒有知識的地方，管它作什？

聖經沒有說伊甸園的禁果是蘋果。蘋果之所以被公認為伊甸園的禁果，是後人補充的。可不是嗎？我們歷來所見到的描述伊甸園故事的「公仔」畫，所繪的禁果一定是蘋果——有彩色的是紅蘋果。不是金山橙，不是香蕉、楊桃，也不是荔枝、龍眼，而是蘋果！記得小時候，筆者被母親帶到教堂去，上「主日學」。美貌的女教師一開頭就講伊甸園與禁果的故事。當時筆者問：「伊甸園的禁果是什麼水果呀？」答曰：「蘋果！」依據上述的一切，今天在《蘋果》開張大吉之際，筆者不能不開門見山地說：「蘋果者，禁果也！」

但禁歸禁，愛吃歸愛吃。在歐西的文化傳統中，在他們的歷史上，凡是新發現、可口、有營養，而又不知其名——或尚未正式定名——的果實，初時皆稱「蘋果」。即使在土中生長的馬鈴薯，初時也被稱為「地蘋果」。這可見歐西對蘋果的好感與重視了。

問題是：蘋果既然被公認為伊甸園內的禁果，吃了就犯上彌天大罪，罪不可恕，那為什麼人類對蘋果如此動心，以至明目張膽地吃起來呢？筆者的答案是：罪歸罪，知識歸知識；沒有知識，生命就沒有意義可言，那麼為了追求知識而犯罪，這罪，是非犯一下不可的。既然不是身居於伊甸樂園中，美味可口而又可以增加知識的蘋果，當然更要大吃特吃，吃個痛快了。

作為炎黃子孫，我們還有另一個尷尬的問題。我們本世紀曾有一位毛潤之先生，自以為是另一個上帝，禁止我們吃知識的蘋果。這一禁也，倒比上帝還厲害，因為毛先生沒有上帝的胸襟。在百花齊放的口號下，凡偷吃知識禁果的，就要立刻塵歸塵，土歸土。嗚呼哀哉！

今天，炎黃子孫蜂擁地跑出了（是跑出，不是被趕出）毛先生力創的二十世紀伊甸園，有了思想自由，可以追求知識，就站起來大聲拍掌。若潤之先生在塵土下有知，不知道會怎樣想？

在中國開放這個時代，在充滿活力的香港這個地方，黎老弟智英「大興土木」地辦報，取名《蘋果》是再適當不過的吧？它象徵著智慧，象徵著對知識的追求，也象徵着不可或缺的「精神」食糧。

同樣重要的是，取名《蘋果》，還有這樣的原因：此「果」也，即使上帝要禁吃也禁不了的。

從史密斯到馬克思

為行止序

二〇〇〇年二月十日

林行止要我為他的結集《原富精神》寫序。「香江第一筆」之命，我怎敢不從？我算是個替人家寫序的老手了，但一見到「原富」這兩個字，就心驚膽戰。且聽我道來。

《原富》是嚴復在一九〇五年替經濟學鼻祖史密斯在一七七六年出版的巨著所起的譯名。原名很長：《一個關於諸國財富的本質及成因的探索》（An Inquiry Into the Nature and Causes of the Wealth of Nations）。嚴復是中國歷史上最有名的翻譯太師，而《原富》這個譯名實在好。然而，可能因為我看不到「皇帝的新衣」，單從《原富》的譯文來評品，我認為嚴復的功力並不怎樣。

《原富》的英語原作是我讀過的所有書籍中唯一令我產生畏懼之心的作品。它是經濟學的第一本巨著，但二百多年來，沒有另一本經濟論著可與它平起平坐。小字印來千多頁，註腳千多個，哲理縱橫，觀察入微，博學多識，文筆如長江大河，滔滔不絕——這樣的書怎可在十二年間寫出來的？

重於泰山的書當然有好幾個版本，而被邀請為之寫序或引言的是極高的榮譽了。我最欣賞一九三七年Max Lerner為《原富》所寫的《引言》：文氣如虹，縱論大

勢。作學生時我為了學英文而背誦過這篇《引言》，茲僅試譯首兩段以饗讀者：

「像所有巨著一樣，《原富》不僅是一個偉大腦子的表達，而且是整個紀元的傾訴。寫這本書的人有學問，有智慧，有文字的天分，但同樣重要的是，持着這些天賦他站在一門新科學的黎明和歐洲一個新時代的開始。他寫的是表達着一些動力，正在他下筆之際，工作着去製造那奇異而又可怕的新品類：模式經濟人，或可說是現代世界的經濟人。我採用這一詞的意思，可不是經濟理論家所發明的沒有生命的抽象人物，用以刺殺任何改變社會的建議，但到頭來卻刺殺了他們自己。我說的是那活生生的商人，經濟學者為了要保護而下筆的，而又為了他的利益而發明了那沒有生命的抽象人物。當時歐洲所有創造這商人的動力，以及這商人快要控制的社會，都在創造一個思想及體制的架構，讓史密斯在其中寫他的書。而這本書，好像知道好運滾滾來，本身變為巨大的影響力，增加了那些動力的運作。於是，這本書是歷史的一部分了。一個新社會，在舊殼中冒出來，創造了一個架構，讓一個偉大的思想家或藝術家去做他的工作，而這工作最後粉碎了社會的舊殼，完成及堅固了那新社會的輪廓。馬基維利的《帝皇術》如是，史密斯的《原富》如是，馬克思的《資本論》也如是。

「這解釋了為什麼所有學者的辯論，掙扎着去找尋史密斯的創新之處，都是白費心思的。沒有任何一級腦子，其思想概括了時代而又影響了跟着而來的社會動向，是純

真地有創見的。無可置疑，《原富》是現代經濟思想的中流砥柱。但若把這本書分拆開來，你會發覺其中沒有一點未經前人提及，而它的所有論點，在大程度上都被後來的論著刺破了。然而，重要的可不是某些學說是否曾經新得發亮，或者是經得起時間的蹂躪。重要的是論著的整體；它的範圍、概念、完成，使它活動起來的精神以及它在歷史上的位置。」

沒有誰讀過《原富》會不覺得自己是渺小的。洋洋近百萬言，其博學多才是我平生僅見。但它的基本論調簡單不過：人不可以單靠親朋戚友的幫助而生存；歸根究底他總要靠自己。可幸的是，為自己、圖私利，對社會大有好處。這是因為專業生產然後在市場交換，上下交征利，大家所得的會比自供自給富裕得多。史密斯當年可沒有想到，在我們今天的世界，因為專業生產而在市場交易所帶來的財富，比自供自給的增加，以千倍計。

我不同意Max Lerner的地方，是史密斯的所有論點都被後來的論著「刺破」了。說史氏在細節上有錯，是對的，但他的主要論點的整體，不僅經得起時間的考驗，而且越來越對。大思想家就有這樣的能耐：分拆開來好些地方都錯，但合併起來的整體卻是對了。

我可以舉自己深知的一個實例。作學生時我寫《佃農理論》，發覺史密斯的佃農

分析及附帶的土地使用制度的演變分析的細節，錯處頗多。但他的土地制度演變分析的沒有明言的主要基調，是適者生存，不適者淘汰。這不僅是對，而且極為重要。後來這基調影響了達爾文！

大智的人可以在細節上錯得頗多，但重要的基調卻對得精彩。小智的卻相反：細節都對，但加起來卻是錯了。

林行止的《原富精神》，是以二百多年前的史密斯基調來看今天的世界。像史前賢一樣，他的細節有錯處，但其整體卻是對的。這是大智了。

是為序。

自私三解：

論《原富》的重心所在

二〇〇〇年二月十七日

此前為林行止的《原富精神》寫序，大讚《原富》。我說史密斯一七七六年所發表的這本書，不僅到今天在經濟學上還是全無敵手，而作者的博學多才是我平生僅見。（愛恩斯坦等人的天才當然驚天地、泣鬼神，但博學就談不上。我認為在歷史人物中，論博學多才，可與史密斯平起平坐的只有達爾文。英國——包括蘇格蘭——的舊傳統真的很了不起。）

閒話休提，因為這裡要談的是一些比較深的學術，要爭取文字空間。一般經濟學者都知道，《原富》中的一個重點，是自私（史氏所說的 self-interest）會給社會帶來利益。但自私有三個解法，或可從三個不同的角度看。

第一個角度，現代經濟學用的，自私是一個假設——在局限下爭取最大的個人利益（Postulate of Constrained Maximization）。人的本質究竟是否自私毫不重要，重要的是假設任何人，在何時何地的任何行為都是以自私為出發點，沒有例外。這個一般性（universal）的假設（postulate），加上邏輯及理論，可以推出數之不盡的假説

（hypotheses），而這些假說是可以被人的行為事實推翻的。若行為事實沒有推翻假說，那麼行為就算是被假說解釋了。若事實推翻了假說，經濟學者就要再下工夫。這是科學方法的第一課：自私假設是經濟科學上的需要，人的本質究竟怎樣是另一回事。

第二個角度，自私是基因遺傳的，天生下來就是這樣，改不了。一九七六年，生物學家Richard Dawkins發表的《自私基因》（The Selfish Gene），是一本重要的書。作者引證於多種動物的生態，有力地辯證自私是遺傳的。這本書有一段時期引起經濟學行內熱衷於新興的「生理經濟學」，但因為在解釋人類的行為上與假設的自私沒有什麼不同，日漸式微了。

史密斯看自私，是從第三個角度看。他認為人的本質有同情心，但為了生存不能不自私。那是說，自私是無可避免地被逼出來的。非所欲也，不能不自私也。在整本厚厚的《原富》中，他只說過一句類似這樣的話，但史氏在《原富》之前的另一本書，這第三個自私角度較為明確。三十年前我以這被逼自私的角度重讀《原富》，才認為自己真的明白這偉大思想家的重心所在。

史密斯看世界是這樣的。社會的經濟局限與環境迫使人自私，而人的自私行為到頭來又使社會的環境及制度有所改變。二者息息相關，不可分割。人因為環境不同或

知識、經驗不同而有所改變，社會的體制就跟着演變，而因為自私永遠被逼着存在，人的行為就會因為體制環境不同而改變了。

雖然史密斯沒有明言，但很清楚地他認為社會的任何體制都是按着自私與環境的互相影響而不斷變化。從這角度看，整本《原富》是頗為明確地表達着適者生存，不適者淘汰的「進化論」。人如是，社會體制也如是。《原富》影響了達爾文，眾所周知；較少人知道的是這本書更影響了黑格爾的辯證法唯物論及馬克思。

從假設自私的角度看，「進化論」怎樣也看不出來。從基因自私的角度看，自私本身就是進化的適者生存的效果，「進化論」的大前提卻也看不出來。但從被逼自私的角度看，一個偉大的腦子就可以想出「進化論」。

沒有史密斯就可能沒有達爾文，沒有達爾文就沒有孟德爾，沒有孟德爾就沒有二十世紀最重要的科學發現：五十年代發現的基因結構。這是史密斯對生物學的貢獻。但他是個經濟學者。在世界經濟的發展上，他可沒有那樣幸運了。

我很欣賞 Max Lerner 一九三七年替《原富》所寫的《引言》。他說時代啟發了史密斯，而史密斯到頭來影響了時代，是對的。但 Lerner 說史氏的所有論點都被後來的論著刺破，卻是錯了。Lerner 的思想相當「左」。他在該《引言》中多次高舉馬克思，認為馬氏的功力不在史氏之下。

我們不要忘記，一九三七年的前前後後，世界有經濟大蕭條，數之不盡的學者認為那所謂資本主義大限將至，共產或社會主義勢必取而代之。時勢造英雄，馬克思的信徒暴升是不難理解的。

受到史密斯的感染，黑格爾及馬克思等人深信社會的體制會不斷「進化」，不斷演變。鄧小平先生和今天北京的領導人是這樣說，而我自己也是深信不疑的。我不同意的，是說世界會變可不是說會變到共產政制那方面去，也不是說我們要以革命來改變世界。

黑格爾、馬克思、Lerner 等人讀《原富》，讀得一知半解。史密斯的觀點，是社會的體制是會演變的，但他從來沒有說過，人類被逼出來的自私也會變。自私一日不變，沒有私有產權就一定民不聊生。這是十九年前我從交易費用角度推出來的定律——也是受到史密斯的感染的。

辯證法唯物論認為人的自私可以更改，而毛澤東力行改之，但改來改去，最自私還是老毛自己——那是在權力鬥爭中被逼出來的極端自私了。

在私有產權的基礎上，社會的政制，做生意的合約，公司的結構等還是會演變的。比方說，在今天電腦發達、網呀網的進展中，二十年後的社會與其運作方式，肯定與今天的大不相同。但自私的行為不會變，而若沒有私有產權，科學怎樣發達人還

是會餓死的。

《原富》屢有小錯，無傷大雅，但它的重心對得精彩；馬克思的《資本論》是不可以相提而並論的。

我認為《原富》錯得比較嚴重的地方，是史密斯在分析制度的演進中，忽略了有時是改進，有時是改退。人的自私對社會有利也有害，而人的無知，大可被政客或謬論所誤導，以致一窮二白。像文化大革命那種事，發生在史氏身後二百年的二十世紀，是他的理論不能容許的演變大惡化。

共產中國數十年的惡夢，從進化歷史的時間上看，只是分秒之間。這樣看，《原富》還是沒有大錯。但近代學者對生物進化的研究，卻發現以億年計的進化中，好些生物曾經極盛一時，然後突然間滅絕了！

不適者淘汰的一個可能性，是滅絕。人的自私在某些不幸的情況下可以滅絕人類！這一重點，史密斯當年是看不到的。

最蠢還是馬克思

一九九九年七月三十日

幾個月前讀到關愚謙先生在《信報》發表的《和德日學者討論「共產」一詞的出處》，覺得很有意思，所以要在這裡回應一下。關先生提出的要點，大致如下：

（一）Communism中譯為「共產」，是日本仔發明的，中國在老毛帶領下，把日譯的「共產」搬進中國。

（二）日譯「共產」的原意，是「共同集體生產」——是生產的「產」，非財產之「產」也。

（三）「共產」一詞到了中國，顧名思義，就變成財產的「產」，此乃大錯，而後來老毛實行共財產而走向「大鍋飯」的人民公社，一錯再錯，嗚呼哀哉！

我認為把「共產」解作「共同集體生產」，是對的，因為Commune（公社）一詞，的確有「共同生產」之意。然而，從今天經濟學的角度看，日本仔相當蠢。這可不是因為他們錯，而是對得太厲害！試想，在香港、美國等「資本主義」的地方，差不多所有生產都是「共同集體生產」的。

可不是嗎？在我們所知的所有機構，不管是上市或是獨資的，皆共同生產也。就是我現在獨坐桌前爬格子，也是與《壹週刊》的多位仁兄共同生產的。既然差不多無

「產」不「共」，而 Communist 肯定不是指我這個寫稿佬，把 Communism 譯作共同生產不僅毫無新意，而把我這個奉信「私產」（財產的「產」）的人說為「共產」成員，實在有誹謗之嫌！從日本仔的角度看，我是個以私產來共「產」的人，非老馬所說之 Communist 也。

從今天經濟學的角度看，老毛把「共產」解作「共他人之產」，與老馬的心意是較為接近的。老毛未老時，熟讀老馬的《資本論》。該「論」的確有「共他人之產」的傾向。

在大學唸書時，我也曾拜讀老馬的《資本論》。但當時我比老毛幸運，因為我對費沙的「資本」概念與高斯的定律皆懂得通透。因此，我老早就知道老馬胡說八道。

在《資本論》中，老馬不反對市場。正相反，他認為市場大有好處。老馬也不反對私產，雖然他沒有高舉私產的功能。老馬反對的，是資本家——以「剩餘價值」來剝削勞力的資本家。在費沙與高斯的思維下，老馬這三個論點怎樣也加不起來！

費沙與高斯皆邏輯井然。以費沙之見，所有生產資料都是資產，而資產私有，其市值就是資本。以高斯之見，沒有私產就不可能有市場。那麼老馬贊成其一（市場），不反對其二（私產），反對其三（資本家），豈不是難以自圓其說？

我認為老毛把「共產」解作「共他人之產」，比日本仔高明，是因為老毛顯然是

從老馬反對資本家的立場作為出發點。不硬性推行吃大鍋飯的人民公社，怎可以廢除費沙所說的資本家？

一九六八年，我在芝加哥大學寫了一篇搞笑的短文，不打算發表的，題為《費沙與紅衛兵》。內容是說小小的紅衛兵深明費沙的一般性的資本概念，比老馬高明，他們的行動是要徹底地廢除費沙筆下的資本家。這篇短文在芝大經濟系內傳閱時，該校大名鼎鼎的《政治經濟學報》的老編讀到，拍案叫絕，堅持要把該文發表。

老毛在中國搞的人民公社，當然是一種「共同生產」的制度。但那所謂「公社」與資本主義下的「共同生產」機構有一點重要的不同，那就是前者一定要吃大鍋飯。這是因為「公社」的成員若能自由轉業，可以隨時另謀高就，資本家就必定會出現。若不容許自由轉業——不管是搞什麼「公社公分制」或「多勞多吃制」——大鍋飯在所必然。既然大家吃大鍋飯，私產就沒有什麼意思，要把之廢除易過借火矣！

共同生產或多人把財產合併而成公司，只要有清楚的權利劃分，或以股份界定權利，有自由的轉讓及轉業權，就是私產制，每位參與者都是個資本家。這與老馬筆下的Communism是大有出入的。Commune（公社）不是合作或共同生產那麼簡單。「公社」的重點不是共同生產，而是強制參與，其權益誇誇其談，但因為沒有股份轉讓權及自由轉業權，參與者就變為肉在砧板上。逼着而成的大鍋飯是「共他人之產」的

制度，徹底行事，就沒有資本家，這應該是比較適合老馬的心意的。

愚見以為，日本仔把「共產」解作「共同集體生產」，不可能錯，但因為凡是社會皆如此，說了等於沒說，是相當蠢的。老毛把「共產」解作「共他人之產」，可能錯，但從以強逼「共同生產」的辦法來剷除資本家的角度看，其對老馬的解釋則比較高明。很不幸，此「高明」卻把國家弄得民不聊生。

困難還是馬克思自己。他是個術語的創造者，有理無理總是說不清，是自欺還是欺人，又或是自欺欺人，恐怕他自己也搞不清楚。他瓜豆了百多年，今天的日本仔、德國佬及我們的關愚謙先生，還是要研討他究竟是說什麼！

天下間怎會有那樣高深的學問？所以我認為馬克思是最蠢的。

書法神功

書法要像書法論

一九九九年十月八日

上海中國畫院的院長施大畏，性情中人也。每次我與他坐下來，談的都是關於藝術的事。施兄不僅懂藝術，而且在藝術上有成就；我醉心於藝術，但算不上是個藝術家。迷於藝術的人一起談藝術，比任何人談任何事都要投入。藝術是感情的表達，談藝術就是談大家對感情的看法或品評。天下間似乎沒有其他的事是更值得投入地去討論的。

個多月前到上海，施兄替我洗塵，席上談的當然又是關於藝術的事。因為在座有周慧珺與李靜兩位書法高人，我們的話題不由得轉到書法藝術那方面去。施兄問我對書法藝術怎樣看，我說最重要的第一關是要像書法。我對這個近於怪論加以解釋，施兄聽後認為觀點重要，一定要我寫出來。

書法是藝術。寫得一手好字不一定是書法。觀者看不出感情的表達，感不到衝激，內心沒有共鳴，何藝術之有？唐代顏真卿的楷書大名鼎鼎，但藝術卻談不上。魯公如是，柳公權如是，其他楷書也如是。米南宮說：「魯公行書可教，真便入俗品！」顏魯公的行書是一級的書法藝術，絕無疑問！其真（楷）書不是「俗」，而是因為沒有變化，表達不出感情，是背藝術之道而馳也。

我們可以從另一個角度看。在電腦發達的今天，我們可以將顏、柳等大師的楷書譜入電腦，要刻什麼墓誌銘，銘文寫好後一按鈕，要顏有顏，要柳有柳，一字不差，藝術安在哉？

不一定是楷書才算是書法藝術。元代最負盛名的趙孟頫，字寫得好，但我就是看不出他字中的感情，所以我認為他的書法不像書法。與趙氏同期但聲名遠為不及的鮮于樞，卻是另一回事。明代的文徵明，也是大名鼎鼎，但我也看不出感情的表達。

有些書法家，其用筆功力並非一流，但感情溢於紙上，大有書法的味道。明代的張弼、陳淳、祝枝山等就是例子。有些人，像今天香港的龐志英，研習書法的時日比我還要少，但寫來卻像書法。那是說，有些人輕而易舉地就過了書法的第一關，有些人窮畢生之力也不能夠。

作為一項藝術媒介，書法的確有其獨特之處。書法沒有畫面，而其文字內容是無關宏旨的。但藝術作品總要說一些話。沒有畫面，內容不重要，那麼書法藝術是在說什麼？那當然是表達感情了。但因為書法沒有什麼其他可說的，所以在感情的表達上，書法比其他藝術媒介來得純，總要給觀者一點像排山倒海而來的震撼的味道。也就是因為這樣，要過書法的第一關就是要寫得像書法。那是說，沒有感情，寫字而已，非書法也。

用筆、結字、佈局等，可以協助感情的表達，是要很長的時日去苦練才有點成就的。另一方面，感情本身的流露，往往是天生的。

感情要純而真，也要有點內涵。這後者是要靠一點學問，要多讀書。純真的感情，要天真，切忌造作與俗氣。天生造作與俗氣的人，不管怎樣苦練，寫得怎樣滾瓜爛熟，也難以登堂入室。郭沫若就是這樣的一個例子。

本文附上自己的兩幅書法，是去年寫的。寫得不怎樣好，但算有點像書法吧。

其一是以八尺紙寫的，釋文如下：

「初疑輕煙淡古松，又似山開萬仞峰，意在新奇無定則，古瘦灕灑半無墨，醉來信手兩三行，醒後卻書書不得。　節錄懷素自敍　五常書」

其二用四尺紙，釋文如下：

「或重若崩雲，或輕如蟬翼，導之則泉注，頓之則山安，纖纖乎似初月之出天崖，落落乎猶眾星之列河漢。　節錄書譜　五常」

慧珺五常談書法

一九九九年十月八日

大約兩年前，我見錄影科技突飛猛進，就對書法老師周慧珺說：「要是今天我們有宋代書法大師米芾書寫的錄影，妳願意出多少錢看五分鐘？只能看一次，五分鐘，不能再看。」她想了一陣，說：「兩個月的收入。」我說：「為什麼那樣少？我願意出半年的收入。」

是的，有些技藝，看不到就學不到。書法是其中最明顯的一項。你要學書法，看不到高手怎樣寫，要自己發明，成功機會不大。有老師示範當然好，但若老師不懂用筆，學壞的機會高於學好的。有高手示範，何止事半功倍？

話說十多年前，我和朋友在深圳一間酒店內的舞廳喝酒，看大陸人跳我少年時懂得的交際舞，像華爾滋那一類。我見在舞的人步法純熟，花式甚多，但跳起來絕不翩然，不像是在跳什麼華爾滋。我看着想，想着看，想了良久，若有所悟，大聲說：「我明白了！」朋友嚇了一跳，問我明白什麼？我說：「明白舞池中這些人，為什麼步法那樣熟但卻不像舞。」我跟着解釋說，這些人的舞技是從書本上學來的。書本有圖樣教步法，也可以教手勢，但最重要的舞姿——翩翩然的舞姿——就不可能說清楚。

可不是嗎？半個世紀前上海夜夜笙歌，懂舞的人數之不盡。但跟着共產當道，跳

交際舞可招來殺身之禍，所以昔日的舞姿在中國失傳了。當然，新潮舞大陸人跳得好，而近幾年來，因為有錄影的示範，交際舞在大陸也有改進，但總比不上生長於資本主義的社會中的我們那一代。

看不到就學不到的技藝不多。舞姿要看，書法的用筆方法更要看。在書法藝術上，用筆佔一半的重要性；在練習上，學用筆要佔九成的時間。用筆是說筆毛在紙上怎樣轉，怎樣翻，使線條圓而美，提按時筆毛收放自如，而又因為筆用得好八面出鋒，蘸一次墨可以寫很多個字，而筆枯後筆毛還是不散亂的。

學書法的人不親眼見到高手示範用筆，怎樣說也說不清楚。而看高手下筆時，注意力是要集中在筆鋒的翻及轉，執筆的輕重，筆桿的傾斜度及其方向，手腕與手臂的動作，及快慢的節奏與旋律。

幾年前我見錄影科技突飛猛進，成本低廉，就打算請周老師示範用筆之道，由我

慧珺五常談書法
DVD VIDEO
書法第一課
我跟周老師學書法，主要是看她怎樣寫，看得很用心，注意力集中於筆端在紙上翻來覆去的變化。這技藝不親眼見到就不容易相信。我是因為見到周老師可以做得到而有信心學下去。今天，我自己大致上也可以做得到。
——張五常

口述解釋，以錄影碟公諸於世。問題是，周老師居於上海，攝錄不便。今年春夏之交，老師到香港來小住數天，這個錄影製作之舉就決定了。

我這個人倚老賣老，關於高科技我聽得多，知得少。要搞錄影嗎？我對什麼是VCD、DVD老是搞不清楚，更勿論製作的過程了。懂得的朋友說我要先寫一個劇本。我對自己說：「教書教了那麼多年，難道談論一下書法也要準備嗎？」這樣毫無準備的製作，而自己擔任編、導、演、旁述等，搞來搞去也不稱意，不在話下。

可幸周老師比我知得更少。我叫她寫就寫，停就停，說就說，下印章就照下無誤；用紙要八尺的、四尺的，要橫寫、直寫——總之我說什麼她就做什麼。這樣，過半的錄影時間就有了「着落」，餘下來的就要靠我自己發明了。

不久前讀到董橋老弟說自己跟不上時代，對電腦所知不多，要靠年青的後輩幫一把。我有同感很多年了。但在錄影這方面，我問了好些年青的、算是專業的，沒有誰可以答覆我要知的所有問題。到最後我才明白，錄影科技實在發展得太快，以至任職於此道的人也跟不上。

「數碼」這回事，我這樣年紀的人，要不是讀過書就不容易相信，更勿論要知道什麼可以做，什麼做不到。楊懷康說我是「夏蟲不可與語冰」，令我稍為安慰的是，在「數碼」發展的前線上，他自己也應該是夏蟲與冰類也。

回頭說書法錄影製作之事，在現場拍攝的初段，竟然錄得雨聲及鳥聲。這段難以重拍，改不了，只能以音樂掩蓋。可幸這只是幾分鐘的時間。周老師寫一幅，算一幅，刻意地不讓她寫得特別好才保留；就是她寫錯了，尷尬地把紙撕掉的動作，也保留着。她用自己帶來的筆寫了三幅之後，我刻意地要她用一枝筆毛極長、極軟而又彎彎曲曲的筆，一般書法家根本寫不出字來的，要她示範。用這怪筆她要寫得慢，使出大動作，誇張地表達用筆之道。

我自己是評述者，從一個「書法專家」的位置說話，到最後不示範幾筆實在說不過去。用筆與氣勢我沒有問題，但字是要碰巧才能寫得好。可幸的是，拍攝時所用的角度，觀者要把字倒轉來看。這是一個秘密：字寫得不好倒轉來看會變得很不錯！

我認為，在書法教育上，周慧珺的示範錄影是一項重要的貢獻。

（編者按：《慧珺五常談書法》的VCD及DVD已面市。）

慧珺五常談書法
我跟周老師學書法，主要是看她怎樣寫，看得很用心，注意力集中於筆端在紙上翻來覆去的變化。這技藝不親眼見到就不容易相信。我是因為見到周老師可以做得到而有信心學下去。今天，我自己大致上也可以做得到。
——張五常
VIDEO CD
書法第一課

為什麼要學書法？

二〇〇〇年三月二十三日

不久前為了好奇，出版了《慧珺五常談書法》這隻影碟。內容還可以，而其中周老師三十分鐘的示範，運筆天成，是影碟中的重點了。

不少朋友看了該影碟後，興之所至，要學起書法來了。一些說了幾天就不再說，一些舉棋不定，另一些就真的購買了文房四寶，興高采烈地動起筆來。這些朋友大都問：學書法從何入手？我的回應千篇一律：多看影碟，周老師怎樣動筆你就照樣做，仿效一段時期就可發揮自己的。

但朋友中有些問：為什麼要學書法呀？這個問題比較複雜，也涉及一些哲理，是需要細說一下的。先此聲明：我是個書法迷，認為學書法有百利而無一害，所以我說的好處免不了有點誇張。

先談兩個世俗的好處吧。第一，練習書法據說可以延年益壽。不能肯定是真，但有好幾個統計，都說書法家的壽命最長。可以肯定的是，書法是一種運動：揮筆大書二、三十張宣紙後，你會覺得很疲倦。有人說寫書法是近於氣功那一類運動，我可沒有作過研究。周老師和她的姊姊都患上先天的風濕性關節炎，是嚴重的病，但以同齡相比，周老師的健康比她不寫書法的姊姊好得多了。我自己的雙肩都曾患上關節炎，

但練習書法幾年後，右肩完全痊癒，左肩還有小問題。

第二項適合於世俗的，是書法是比較容易表演一下的玩意。用心寫上三幾年，你天分再差也可以寫幅字送給朋友，而在大眾面前大書幾筆的機會，比繪畫容易遇上。

如果你是什麼名人或政要，書法就更大派用場了。我們的董特首應該後悔他不早幾年學書法。（事實上，大名如董特首，書法不需要寫得好。我認為他目前的書法困難，就是下筆時不放膽。只要他放膽下筆，不管寫得怎樣，就判若兩人，算是及格了。周南下筆，放膽之極。）

撇開世俗之見，我認為如下的好處才重要。

（一）書法雖然很難學，但需要老師指導的時間甚少。不像學畫或鋼琴，基本的書法技術就是幾個動作，幾個主旨；你能否做到，要多少年日才可做到，是另一回事。技術的練習時間不少，但只要遇到明師，基本法門的「課程」不多。除練習外，主要的學習時間是學怎樣欣賞書法。這就要多看前人的書法，要找高人評述，但這些是不需要有老師在旁指導的。

（二）古往今來所有名家的書法，我們今天只要花數千港元就可以全部買到其印刷品。夜闌人靜，或空餘之暇翻閱，既可陶情，又可欣賞，久而久之，你的書法就大有進境。周老師說我眼高手低，因為我睡前喜歡在床上翻閱古人的書法，學會了怎樣

看。這是很寫意的學習了。要記着，眼不高手永遠也不能高；眼高了，手高只是時日的問題。

（三）練習書法方便，且成本低廉。一張四呎的低級宣紙，今天大約港幣二元，通脹調整後，是五十年前的八十分之一。毛筆不容易找到從前那麼好，但其耐用遠勝往昔——我用好幾枝筆，但八年來只寫壞過一枝。日本出產的墨汁，加水而用，歷久不臭——我是幾個月才洗一次墨硯的。

家中紙、筆、墨常在，寫後把筆毛浸在水中，或洗淨掛起來。這樣，練習書法是不需要準備的。工作累了，休息時大書兩三張宣紙，又再工作。工作的效率不減，但一夜之間在不覺中寫了十多張。

（四）萬事起頭難。學書法最難的是開頭的六個月，因為對自己的字目不忍睹。但六個月後，一幅字中總有三幾個不太差（又因為自己眼還低，會覺得很好）。只要你有耐心能過得「目不忍睹」的第一關，練習書法就很舒暢，不到一年，你就會忍不住常常寫。這是學書法的朋友一致認同的。

（五）個人的經驗，是研習書法會引起無限的思維與遐想。這是因為學書法逼着要用腦。當然，任何造詣都應該用腦，但書法比較特別的地方，就是逼着要用。這可能是因為書法是一項極為抽象的藝術，不用腦就不可能有寸進。不用腦地練字、臨帖，

你可以學得一手好字，但書法藝術就談不上。

感情的表達要用心，下筆時要盡量做到心手兩忘，但心、手要怎樣用就要靠用腦了。看高手示範，看後要想，要理解。前賢的傑作，欣賞之餘又要想，要體會什麼才是變化，什麼是變化應有的規律。

（六）我認為每個人，不管是什麼行業的，都應該起碼在一門藝術上下點工夫。這不是說每個人都應該做一個藝術家。學藝術不是為了要成「家」，而是要讓自己的感情有一個好去處。男女之間的感情，親友的感情，皆不可或缺，但感情好些時要奔放一下，而這奔放是單方面才能做到的。我想，藝術是為了要奔放感情而產生的。

朋友，你要百無禁忌地發洩一下感情嗎？對人你不可以百無禁忌，就是對你最親近的人。要像王羲之所說的「因寄所託，放浪形骸之外」嗎？今天的社會，你不容易做到。但藝術，你可以百無禁忌，可以放浪形骸，把感情發洩得很痛快。

在多種藝術中，表達感情最易而又麻煩最少的，是書法。

千年事

驚回首，感慨話千年（四之一）

一九九九年十二月十六日

還有十多天我們就踏進千禧的最後日子。好些刊物、傳媒找我訪問，要看一下我根本沒有的水晶球怎樣說。我不勝其煩，就決定下筆寫一些自己對千年回顧的感受。

千禧之慶究竟是今年末還是明年末，是個有爭議性的問題。我為此作了考查，得到的答案是今年末，因為耶穌誕生是從零開始的。是的，再過十多天，我們就踏進二十一世紀。

拿起筆，想到毛潤之的詞，我就在空白的稿紙上寫下《驚回首，感慨話千年！》這個名目。老毛可不簡單。我只借用他三個字，文采就溢於紙上。

作為炎黃子孫，我要寫的回顧當然是從神州大地那方面看。沒有讀書三十年，而手頭又沒有歷史書籍，要「話千年」不容易。可幸三十多年前我讀書博而雜，為了過癮古今中外無所不涉，且過目不忘（其實細節忘卻了不少）。經過漫長的日子在腦中消化，對歷史免不了有自己的觀點。且讓我憑記憶中的消化所得說一些吧。

一千年前，中國是北宋（九六〇——一一二七）時代，很了不起。當時美國有的

是「紅番文化」，與我們五千年前的「紅山文化」差不多水平。歐洲呢？一千年前是那所謂「黑暗時代」，文藝復興還要等四百年。那是說，一千年前，中國的文化與經濟，高出歐西不可以道里計。

北宋的陶瓷藝術，無與倫比。論畫，我們只要看范寬的《谿山行旅》就知道是怎樣的一回事。米南宮的行書與黃山谷的狂草，就是今天也算是一級的抽象藝術。蘇東坡與李清照等人的詩詞，光芒不可方物；到了南宋（一一二七——一一七九），辛棄疾也非同小可。是的，八百年前，中國雄視天下。

元代（一二七九——一三六八）來了一個致命傷。這段時期的困難所在，是入侵的外族漠視中國文化。「一代天驕，成吉思汗，只識彎弓射大鵰！」是毛潤之說的。好些中國文化專家認為元代的文化大有可觀，但文化的發展不是朝夕的事，就是急劇倒退也不是一下子就變得面目全非。

整體來說，比起宋，元的文化跌得很厲害。馬致遠算是高手，但怎可與蘇學士相提並論？鮮于樞的書法大有可觀，但與米芾根本不是同一水平。元代的陶瓷藝術，有青花釉裏紅的始創，但整體卻是跌得一塌糊塗。宋代五大名窰中的鈞窰，起於唐而達於今，從來沒有中斷過。所以我喜歡研究鈞窰的演變來作一個大略的（不一定是可靠的）文化衡量。是的，鈞窰極精於宋而極劣於元。

話雖如此，元代當時還是勝於歐洲的。馬可孛羅（一二五四——一三二四）可能是當時唯一的主要證人。他的「遊記」把中國捧到天上去，就是將他說的打個八折也勝來容易。

明代（一三六八——一六四四）是中國的一個文藝復興，與歐洲的文藝復興（大約一三五〇——一五八〇）是同期的。看官要知道，文藝的盛衰永遠跟經濟的盛衰連帶在一起，中外皆然。所以若沒有可靠的經濟數據，以文藝來衡量經濟雖不中亦不遠矣。

明代的文藝復興，主要是先「復古」然後創新。唐寅（一四七〇——一五二三）、陳淳（一四八三——一五四四）、徐渭（一五二一——一五九三）、董其昌（一五五五——一六三六）等就是其中幾個代表人物。此「復興」與歐洲的很不相同。明代的有「古」可復——宋代的傳統是一個大金礦。另一方面，起於意大利的文藝復興，是沒有了不起的傳統的。

大名鼎鼎的達文西（一四五五——一五一九）、米開蘭基羅（一四七五——一五六四）等人，其天才絕頂毫無疑問，但他們對文藝的主要貢獻，是打破了當時宗教的傳統約束。純從藝術本身及其思維哲理來評品，歐洲當時的水平與我們的明代所差尚遠。

以視覺藝術來說，好些學者認為空間處理的思維發展，是一個重要的衡量。這方面，北宋所達，歐洲要到十七世紀中葉才達到。那是說，一千年前，在藝術的一個重要思維上，中國比歐洲先進六百多年。

明代之前，中國比不上歐洲的，是建築。建築不單論藝術，也論科學工程。科學上，不管我們怎樣高舉自己的傳統，引證於青銅、陶瓷、紙張等的神乎其技，但整體來說，在阿基米德（公元前二八一——二一二）之後我們的科學就比不上歐洲。然而，從經濟那方面看，科學在歐洲要到工業革命（十八、十九世紀）才大派用場。科學在中國為什麼那樣不濟，是個重要的話題，我會在本文的第四篇（四之四）試作解釋。

中國的經濟給歐洲追近，大約是十八世紀中葉，而人民的生活水平低於歐洲，我個人的估計，大約是始於乾隆下位（一七九五）至鴉片戰爭（一八四〇）之間。

從文藝發展那方面看，中國到了明末清初的十七世紀，達到了宋代之後的另一個高峰。然而，此高峰在當時只能與歐洲打個平手。我們的八大山人（一六二六——一七〇五）與荷蘭的倫勃朗（一六〇六——一六六九）是同期的人，勢均力敵，各擅勝場！八大推出一百五十年後歐洲才有的印象派概念；倫勃朗則直追我們北宋的范寬，而范寬的氣派與功力，八大是有所不及的。

一踏進十九世紀，無論科學、文藝或經濟我們都給老外比下去，輸得面目無光。神州大地烏雲一片是二百年前開始的了。

「舞榭歌臺，風流總被，雨打風吹去！」是稼軒說的。

驚回首，感慨話千年（四之二）

一九九九年十二月二十三日

千年以來，中國最好的皇帝是康熙（一六六二——一七二二在位）。毛潤之在他的《沁園春》裡低貶秦皇漢武、唐宗宋祖、成吉斯汗等人，但卻沒有提到康熙。要是提到康熙，他應該不敢說：「俱往矣，數風流人物，還看今朝！」

康熙是個獨裁者，對政敵或爭位的人絕不手軟。但他對人民的生活與自由，永遠放在第一位置。這個皇帝聰明、勤勞、客觀、好學。凡有傳教士不遠千里而來，他必虛心求教，要多知一點怎樣才可以改進人民的生活。後來慈禧太后動用海軍軍餉來建頤和園，是因為差不多二百年前康熙訂下「永不加稅」。

一個明智的獨裁者，當然理解繼承問題的重要。康熙看中不是長子的雍正，也看中年僅幾歲的孫子乾隆，使清代能連貫地有三個好皇帝，國泰民安一百三十多年。這是個歷史奇跡。

我認為康熙最聰明的地方，就是作為外族管治神州大地，他重視中國的文化。這與元代是截然不同的。自康熙到垂簾聽政的慈禧，每個清代的統治者都學中國的書

法。雍正的書法最好，有近於書法家的水平。不是皇帝的成親王算是個書法家。乾隆寫得笨，而其詩俗不可耐，但他是歷史上最重要的中國藝術品收藏家。慈禧的書法很難看，但她的畫「了不起」，顯然是槍手代筆的。喜歡「請槍」而把自己的印章蓋上去也算是重視中國的文化了。

令我拍案叫絕的，是納蘭容若（一六五五——一六八五）。這個早逝的滿族皇室子弟的詞品，可與宋代蘇東坡、李清照、辛棄疾等大師平起平坐。精於騎射的納蘭容若肯定是個天才絕頂的性情中人，但他的詞藝能雄視神州七百多年（稼軒之後到今天），顯然是自小父母就要他在中國的文學上痛下功夫。

乾隆之後，繼位的幾位皇帝不是暴君，而是庸材。這是中國二百年前開始走下坡的一個原因。然而，與歐洲相比，我們給老外節節追近，在相對上步步敗退，卻起自康熙。最好的皇帝也保不住我們的相對優勢，有兩個原因。其一是我們歷來科學落後於人；其二是歷來閉關自守的意識，應付不了無可避免的對外貿易的發展。這後者起於歐洲工業革命之前，讓我先談吧。

一六六四——康熙登位後兩年——大約一公斤的中國茶葉運到英國去。茶杯也同時運到。老外不懂得用，把保熱的杯蓋放在杯底下，後來演變成為今天我們喝咖啡的杯與碟。但茶老外不僅懂得喝，而且認為是天下妙品。

半個世紀後，一位英國紳士說：「中國有天下最佳的飲品，茶；最佳的糧食，米；最佳的衣料，絲。有這一切，他們是不需要與我們貿易的。」據說這是當時老外的一般意識。他們渴望與中國貿易，屢派說客到中國來，要求貿易開放。但康熙與他的孫兒乾隆一樣，對老外的產品沒有興趣。

這個後來被歷史學者笑掉牙齒的「沒有興趣」、「夜郎自大」的意識，其實有點道理。一八四〇年鴉片戰爭強迫中國開放貿易後，老外商人到中國大力推銷刀叉、鋼琴之類的產品，與中國的文化格格不入，力竭聲嘶也賣不出去，又使歷史學者笑掉牙齒。

康熙為了應酬，謝世前兩年（一七二〇）在廣州設立了「公行」，起初是七家，後來增至十三家。這就是今人在廣州的老人還依稀記得的、曾經是大名鼎鼎的「十三行」。（一八四二年取締，但地區之名解放後仍在。）一家公行的主事商人叫作「行商」，每家公行指定與一個老外國家貿易，有絕對的壟斷權。對中國貿易最有興趣的是英國，而成交量也最大。英國方面的中國貿易也是有壟斷權的，由東印度公司御准主理。因為有大利可圖，英國到中國的走私商人不計其數，而其中最有名的走私英商是今天香港怡和的創辦人。

公行於一七二〇年成立後，與老外相安無事大約半個世紀。中國的茶與絲在歐洲

大行其道，但老外商人卻沒有什麼產品是廣州的行商樂意接受的。行商最喜愛的，是金與銀，尤其是銀兩，因為當時中國的貨幣是以銀為本位的。

以銀換絲、茶，皆大歡喜。說當時主要是英國人喜歡喝中國的茶，是不對的。一七七四年數以噸計的茶把美國的波士頓海港染了色（美國歷史上著名的 Boston Tea Party），全部是中國的茶葉。

不幸事情的發生，起於一七八〇年的前前後後。英國老早就禁止本土的銀兩出口。英商運到中國的銀兩，是從歐洲大陸搜集的。主要是西班牙，因為該國與盛產銀的墨西哥有密切關係。但一七七六起，西班牙有一連串的戰爭，又與墨國不和。這導致銀兩的供應短缺。

英商與中國貿易，銀兩不足，就想到盛產於印度的鴉片。中國在一七二九年就禁止鴉片進口，但走私易過借火。起自銀兩短缺的英商鴉片走私，廣州的行商有暴利可圖。這暴利與鴉片進口在中國急升的數字，有很多不同的版本，而任何版本都是驚人的。

以鴉片代替銀兩，中國的銀兩進口立刻減少，理所當然。但過了不久因為鴉片進口量大，銀兩就開始外流。因為銀兩是中國的貨幣，這外流引起通縮及經濟不景。這應該是十九世紀初，乾隆謝世後不久的事。

再過三十年，江河日下，銀兩外流變本加厲，林則徐見勢頭不對，給皇上的陳辭擲地有聲，在東莞虎門大燒鴉片。可惜林前輩不明白一百年後經濟學者才弄清楚的貨幣理論，所以他的分析差之毫釐，失之千里。這是後話。

驀回首，感慨話千年（四之三）

一九九九年十二月三十日

話說十八世紀後期，西班牙的不斷戰爭使英國商人不容易找到銀兩到中國換取絲茶，他們就以生產於印度的鴉片代替。走私鴉片，英商與行商皆有暴利可圖。乾隆謝世後的十九世紀初期，鴉片進口的急升導致銀兩外流。

林則徐說銀兩外流會窮國，是不對的。問題是銀兩是當時中國的主要貨幣，這外流使貨幣量減少，導致通縮與經濟衰退。要是當時中國懂得改變貨幣制度，像太平天國那樣大的災難可以避免。當然，我不是說鴉片進口是不應該禁止的。

上述的衰退是現代貨幣理論的重點。以我所知，第一個中國人清楚明白這重點的，是宋子文。這個以貪污名染神州的宋家子，起初對國家有赤子之心，而又的確大有才華。他在一九三四年為經濟學大師費沙（I. Fisher）榮休而寫的一篇關於中國財政的文章，很清楚地陳述銀兩外流對貨幣供應及經濟衰退的關係。有資格為費沙榮休下筆的人不多，而費沙是貨幣理論的大宗師，宋先生若不是胸有成竹，怎敢班門弄斧？

一八三四年，當鴉片進口與日俱增之際，一件少受注意但極為重要的事發生了。

英國政府取締了東印度公司對中國貿易的專利權。自公行在一七二〇年成立後，英國對中國的貿易只由東印度公司一家包辦。雖然走私的英商不計其數，但他們不敢明目張膽，費用當然較高。

合法的一家公行對一家東印度公司，專利對專利，相安無事百多年，而東印度公司賺錢所付給政府的稅，達英國庫房的十分之一。問題是，走私的英商越來越多，而他們又要付走私費用，所以他們聯手迫使英國政府在一八三四年取締了東印度公司的專利權。

這專利取締之後，此前的專利對專利變作英商自由競爭對一家行商的專利。這家行商當然大發其達，左推右擋，使英商「右啖好食」。英商於是從東印度公司遷怒於公行，不斷地建議政府要設法廢除中國的公行制度。

一八三八年，見外交途徑無效，怡和的 James Matheson 上書英皇，主張出兵，以武力強迫中國開放貿易。這封信一九六一年我在加大圖書館的陳年檔案中讀過，過癮精采，今天記憶猶新。

一八四〇年的鴉片戰爭，英國是以一些雞毛小事為藉口而派軍艦的。炎黃子孫為了面子，就推到燒鴉片那方面去。其實，人家長途跋涉、糧食不足的一小隊軍艦，就把我們的天下大國殺下馬來，還有什麼面子可言呢？（一九〇五年，俄國也如此這般

地攻打日本，話都冇咁快就全軍覆沒。）

一八四二年的南京條約，一開頭就廢除公行。港島割讓，廣州、廈門、福州、寧波、上海等城市外貿開放，也是在這條約之內。當然，鴉片隻字不提。

一八六〇年，北京條約割讓了香港界限街以南。一八九八年，見地方還不夠用，英國租用了香港的新界。那時因為太平天國（一八五〇——一八六四）搞得元氣大傷，江河日下，英國要怎樣就怎樣。英國當時不「割」而「租」，是因為見到俄國在北方虎視眈眈，一「割」起來，中國給外人瓜分，貿易之計豈不是廢了？

是的，大英帝國是個「殖民地」老手。他們在印度中過計，知道要「殖」中國那樣大之「民」，蠢事也。既不能「殖」整個中國，為了貿易，他們不要外人佔領中國的土地，是不難理解的。

說起殖民，英國對香港的處理有九十分。他們不像康熙那樣重視中國的文化，但重視香港人的知識。他們顯然認為，香港人增加知識會減低他們對中國貿易的交易費用。

大約一百年前，先父從惠州到香港來，在街上被一個鬼佬以午餐為誘，進入灣仔書院學英語、數學。其後到天祥洋行作學徒，獲授當時算是高科技的電鍍之法。滿師後先父要自立門戶，鬼佬老闆認為對香港會有貢獻，大事嘉許，多方協助。戰前的香

港，這樣的故事多的是。

戰後，港英出了一個郭伯偉。在我認識的朋友中，維護香港最甚的是郭伯偉、夏鼎基與彭勵治這三位連任的財政司，期長共四分之一個世紀。此三君皆是老香港，懂經濟而又智力非凡。「東方之珠」可不是浪得虛名的。

太平天國的動亂起自銀兩外流而導致的貨幣減少及經濟衰退（我可能是這個論點的始創人），長達十五年，是中國的又一個致命傷。自相殘殺三千萬人（從比例算，大約是今天的兩億人）！太平天國中斷了茶葉供應。嗜茶如命的英國佬，見中國缺茶，就試在錫蘭（今天的斯里蘭卡）種植。一試成功，之後到今天鬼佬所喝的大都是非中國的紅茶了。

太平天國後，神州大地更乏善可陳。一九〇〇年的義和團，一九一一年的武昌起義，跟着而來的軍閥時代，中日之戰，國共之爭，三反五反，百花齊放，人民公社，文化大革命，都把炎黃子孫弄得死去活來。神州大地不是風雲色變，而是烏煙瘴氣。

一九八五年我白紙黑字寫得清楚：二百年來，中國最有希望的日子，還是今天。兩年多前鄧小平先生謝世，我破例地穿上黑西裝，結好黑領帶，也要太太穿上全黑的，一起到新華社鞠躬。一位朋友嘲笑我這樣做，我說：「你沒有讀過中國的歷史吧！」

驚回首，感慨話千年（四之四）

二〇〇〇年一月六日

一個國家由盛轉衰而甚至沒落，歷史的例子有的是。但這些要不是小國，就是那些在文化上不可以大書特書的。中國是一個例外。這不是我個人之見。老外學者朋友，一提到中國的歷史，都為我們從極盛下降至極衰的這一千年搖頭嘆息，感到奇哉怪也。

任何國家都有上有落，就是美國也曾經有經濟大衰退。但這些都不像中國的例子：從雄視天下到民不聊生；從道德倫理到腐化入骨！究竟發生了什麼事？炎黃子孫受到了什麼詛咒？

維持一個民族的尊嚴，文化是極為重要的。英國本土算是小邦，但因為文化有厚度，其尊嚴歷久不衰。我們的文化曾經高不可攀，但尊嚴也曾跌到無影無踪。這悲劇之悲，應該破了世界紀錄。

說中國有優良的文化傳統，老生常談，但還是把我們的文化低估了。近二十年來，神州大興土木，推土機第一次普及運作，出土文物多如天上星。這些文物，好些

是博物館的專家從來沒有見過的。為了好奇，我曾經在這些新的古文物上下過功夫，所得的結論有二。其一，中國古代的文化，比我們歷來自吹自捧的高得多。其二，不管騷人韻士怎樣哭呀哭的，我們曾經相對地很富有。

然而，今天回顧，我們不難發現，在那光芒不可方物的日子中，我們缺少了一個科學傳統。零零碎碎的近於科學家的人物是出現過的，但一個傳統就談不上。在歐洲，伽利略（一五六四——一六四二）、牛頓（一六四二——一七二七）、達爾文（一八〇九——一八八二）等科學天才的崛起，其傳統可上追公元前二百多年的阿基米德（公元前二八七——二一二）等人。而本世紀最重要的兩個科學發現——半導體與基因（DNA）——又可上追牛頓及達爾文。為了應用科學，訓練工程師的學院在二百年前已在法國開始了。

我們今天肯定地知道，中國人的數學天分非常高，而就是沒有連羣結隊，近數十年來我們拿得科學諾貝爾獎的也有好幾個。科學天分我們有的是，但為什麼我們沒有科學的傳統呢？

這個老問題不是我發明的。我個人發明的答案，是歷史上我們沒有司法制度（Judicial System），從來不論法理（Jurisprudence）。而律師這個行業，在二十世紀之前我們是沒有的。在歐洲，法律學院始於羅馬帝國，那是二千年前的事了。

神州在皇帝之下，治國之道是講倫理（不是法理），論風俗（不是前案例）。我們試行孔夫子的理想：選賢與能，講信修睦。我們論孝，也高舉儒家學說。不要低貶這些事。以倫理、風俗治國有一個很大的好處，那就是費用低廉。昔日包公審案或鄭板橋的判案故事，比之今日香港的律師、法庭，其費用是微不足道的。但我們不要忘記，鄭板橋是個詩人，精於書畫；只因為讀過書，就可以大判其案了。

倫理治國費用低廉，在一個不變、安定或緩進的社會中，大有可取。但說到日新月異，風起雲湧，倫理治國在三方面要付出大代價。

第一方面，在倫理治國的制度下，以讀書識字來考什麼進士的，求的是一官半職。歷史上，從陶淵明到蘇東坡到鄭板橋，我們不容易找到一個算是有學之士是沒有做過官的。那是說，求學是求官，求生計及一點「治」權。倫理學問可治，科學學問不可治也。讀書識字的，或多或少要向倫理那方面下功夫，論什麼君子、小人，科學的興趣也就不容易培養出來。要是我們昔日有司法，法治由律師專業處理，懂得說「逝者如斯，而未嘗往也；盈虛者如彼，而卒莫消長也」的蘇東坡，可能是一個偉大的科學家。

是的，我們歷來科學人材的缺少，不是沒有天分，而是有天分的都講倫理，談詩論詞去也。

第二方面的代價，是倫理治國會造成一個文盲眾多的社會。歷史上，我們從商的可能富有，為官的學者生活挺不錯。餘下來務農或工藝的百分之九十以上的民眾，用不着讀書識字。以學問治國就有這樣的一個困難：沒有一個純以學問生產而謀生的空間。

第三方面的代價，是倫理治國沒有彈性。倫理、風俗、習慣，是根深蒂固的事，不可以像歐西法律那樣要改就改。三十多年前在芝加哥與戴維德論法律，他的高見是英國始創的普通法的費用，比歐洲大陸的成文法為高，但較有彈性。相比之下，我們的倫理治國費用最低，但彈性最少。

彈性不足的倫理，遇到日新月異的發展，風起雲湧的演變，就應付不了。我們要搞一個革命才能把辮子割下來！歷史上，中國是一個革命的國家。要是倫理治國有足夠的彈性，好些革命是可以避免的。

驚回首，俱往矣！我要再說一次：二百年來，我們最有希望的日子，還是今天。事生於世而備適於事，北京的領導人要放棄成見，大膽地引進老外可取的法門，用之於炎黃子孫的天才上。這樣，昔日的光芒指日可再也。

學術上的老人與海

作　　者　張五常

封面畫作　黃黑蠻

封面書法　周慧珺

總 編 輯　葉海旋

編　　輯　王陳月明

美術設計　林　皓

出　　版　花千樹出版有限公司

Fax : 2729 1884

E-mail : Arcadia@ctimail3.com

印　　刷　海洋印務有限公司

第 一 版　二〇〇〇年六月

W9-AXZ-441